ACCESO GRATIS *a la Lectura en la Nube*

Para visualizar el libro electrónico en la nube de lectura envíe junto a su nombre y apellidos una fotografía del código de barras situado en la contraportada del libro y otra del ticket de compra a la dirección:

ebooktirant@tirant.com

En un máximo de 72 horas laborales le enviaremos el código de acceso con sus instrucciones.

La visualización del libro en **NUBE DE LECTURA** excluye los usos bibliotecarios y públicos que puedan poner el archivo electrónico a disposición de una comunidad de lectores. Se permite tan solo un uso individual y privado

LLIÇONS DE DRET CIVIL CATALÀ III
DRET DE FAMÍLIA

LLIÇONS DE DRET CIVIL CATALÀ III
DRET DE FAMÍLIA

Mª DEL CARMEN GETE-ALONSO Y CALERA
JUDITH SOLÉ RESINA

tirant lo blanch

València, 2017

Directoras de la Colecció:

Mª DEL CARMEN GETE-ALONSO Y CALERA
JUDITH SOLÉ RESINA

© D'AQUESTA EDICIÓ: TIRANT LO BLANCH
C/ Arts Grafiques, 14 - 46010 - València
TELFS: 96/361 00 48 - 50
FAX: 96/361 41 51
Email:tlb@tirant.com
www.tirant.com
Llibreria virtual: www.tirant.es
DIPÒSIT LEGAL: V-519-2017
ISBN: 978-84-9143-826-7
IMPRIMEIX I MAQUETA: Tink Factoría de Color

Pot enviar-nos els seus suggeriments a *atencioncliente@tirant.com*. També disposa d'un Procediment de queixes, d'acord amb el que s'estableix a *www.tirant.net/index.php/empresa/politicas-de-empresa*.

Índex

Lliçó 4
LA FILIACIÓ (II). L'ADOPCIÓ
Mª del Carmen Gete-Alonso y Calera

Lliçó 5
LA POTESTAT PARENTAL
Mª del Carmen Gete-Alonso y Calera

Lliçó 6
EL MATRIMONI (I): REQUISITS
Mª del Carmen Gete-Alonso y Calera

Lliçó 7
EL MATRIMONI (II): FORMES I CELEBRACIÓ
Mª del Carmen Gete-Alonso y Calera

Lliçó 8
EL MATRIMONI (III): EFECTES
Judith Solé Resina

Lliçó 9
EL RÈGIM ECONÒMIC MATRIMONIAL (I): SEPARACIÓ DE BÉNS
Judith Solé Resina

Lliçó 10
EL RÈGIM ECONÒMIC MATRIMONIAL (II): PARTICIPACIÓ EN ELS GUANYS, ASSOCIACIÓ A COMPRES I MILLORES, CONVINENÇA
Judith Solé Resina

Lliçó 11
EL RÈGIM ECONÒMIC MATRIMONIAL (III): COMUNITAT DE BÉNS, AGERMANAMENT
Judith Solé Resina

Lliçó 12
LA SEPARACIÓ I EL DIVORCI
Judith Solé Resina

Lliçó 13
NUL·LITAT DEL MATRIMONI
Mª del Carmen Gete-Alonso y Calera

Lliçó 14
EFECTES COMUNS DE LA NUL·LITAT DEL MATRIMONI,
DEL DIVORCI I DE LA SEPARACIÓ LEGAL
Judith Solé Resina

Lliçó 15
LA CONVIVÈNCIA ESTABLE EN PARELLA
Judith Solé Resina

Lliçó 1
FAMÍLIA I FAMÍLIES

Mª del Carmen Gete-Alonso y Calera

1. EL DRET DE FAMÍLIA

Les regles del Dret de Família prenen com a pressupost fets i condicions relatives a la persona per raó de la relació jurídica que les vincula amb altres persones, ja nascuda del parentiu o d'una unió permanent, entre les quals s'estableix una comunitat de vida. El Dret de Família personal abasta les condicions jurídiques generades a conseqüència de l'establiment del vincle jurídic derivat del matrimoni, de la constitució de la unió estable o del pacte de convivència, les de la relació de generació i la relació de parentiu. El Dret de Família patrimonial, comprèn les relacions econòmiques entre els membres de la família.

De les normes del Dret de Família es prediquen una sèrie de caràcters:

a) *Limitació del principi d'autonomia de la voluntat.* A més dels límits generals, la naturalesa dels interessos en joc implica que aquests actuïn restringint la llibertat, d'una part en seu contractual la faceta familiar del negoci pot determinar restriccions i pel que fa a la de constitució de la relació la major part del contingut de la mateixa està sostret a l'autonomia privada, la llibertat d'actuació es cenyeix a la decisió sobre la utilització d'una determinada institució jurídica però no per determinar la totalitat dels efectes ja que l'eficàcia pot venir imposada.

b) *Principi d'indisponiblitat*: sobre les condicions personals familiars no és possible la realització de negocis jurídics que comportin transmissió, ni tampoc la renúncia ni la transacció.

c) *Caràcter formal dels negocis*: els actes jurídics que constitueixen, modifiquen o extingeixen situacions familiars són formals per la transcendència que comporten per a la identitat de la persona i per la seva repercussió social.

d) *Importància de les concepcions i principis ètics*: El conjunt de valors i regles morals més generalitzat en la societat influeix en les regles jurídiques i dóna raó del perquè d'una determinada caracterització.

La configuració del Dret de Família del Llibre II del Codi Civil de Catalunya es fonamenta en la Constitució de 1978 i en l'Estatut d'autonomia de Catalunya de 2006, en el que es contenen els valors i principis que inspiren l'ordenament civil català (art. 111-2 del Codi Civil de Catalunya).

El repartiment de competències entre l'Estat i la Generalitat de Catalunya (arts. 149. 1. 8a CE i 129 EAC) comporta la coexistència de la normativa civil catalana i de la normativa estatal. Segons l'art. 149 1.8ª CE, és competència de l'Estat, per tant es regulen per les disposicions del Codi Civil espanyol i de la Llei del Registre Civil, "les regles relatives a les formes del matrimoni i ordenació dels registres i instruments públics". Això implica: que les formes del matrimoni, requisits, celebració (arts. 49-60 CC), inscripció del matrimoni (arts. 61 a 65 CC), nul·litat (arts. 73-80 CC), separació (arts. 81-84 CC), divorci (arts. 85 a 89 CC) es regulen al Codi civil espanyol i alguns dels efectes d'aquests procediments es contenen en la Llei d'Enjudiciament Civil (arts, 769-778 LEC). Ambdós s'apliquen a Catalunya.

En Títol III del Llibre II del Codi Civil de Catalunya es regulen els conceptes generals i els efectes personals i econòmics del matrimoni; els règims econòmic matrimonials; els efectes de la nul·litat, del divorci i de la separació judicial; la convivència estable en parella; la filiació, els aliments entre parents, les relacions de convivència d'ajuda muta; a més de la tutela i institucions tutelars i les potestats sobre els fills.

2. LA FAMÍLIA: CONCEPTE I CARACTERITZACIÓ

En el ordenament jurídic no hi ha una noció tancada de família, ni tampoc un únic tipus de família que s'erigeixi en model a què s'hagi d'ajustar el grup mereixedor d'aquest nomen. El conjunt de persones que compon una unitat de convivència i interessos comuns es recondueix a concepte de família si concorren les dades que, en cada temps, identifica la societat com a tal.

Es descriu la família com a grup social organitzat, format per diverses persones físiques unides entre si ja pels vincles del parentiu i/o alhora perquè entre elles hi ha una situació de convivència institucionalitzada, que l'ordenament jurídic considera als efectes d'establir les regles que regeixen en les relacions personals i econòmiques entre els seus membres.

En aquest sentit, l'art. 231-1 CCCat, després d'indicar que la família gaudeix de protecció jurídica en la llei, afegeix que empara sense cap tipus de discriminació les relacions familiars derivades del matrimoni, de la convivència estable en parella i de les famílies formades per un dels progenitors i els seus descendents. A més reconeix que formen part de la família els fills no comuns dels progenitors que convisquin amb la parella (famílies reconstituïdes).

Feta reordenació les dades que determinen l'existència de família, són:

a) El parentiu entre els membres entre els es produeixen les relacions. Els parents sempre són família.

b) La convivència institucionalitzada: l'expressió abasta les unions permanents entre persones ja perquè estan casades ja perquè constitueixen una unió estable no matrimonial. Els membres de les parelles no són parents sinó familiars. Es qualifica la convivència amb l'adjectiu "institucionalitzada" perquè la família com a grup es delimita a partir que es constitueix la convivència, concretat en el compliment dels requisits exigits. Això cal explicar-lo respecte a què convivència suposa l'existència d'una família.

La primera matisació parteix de l'acte jurídic de constitució: si existeix o no matrimoni. Concurrència que porta distingir entre la família matrimonial i la no matrimonial; ambdues reconegudes en la Constitució. Els poders públics tenen el mandat d'assegurar la protecció econòmica i jurídica de la família, qualsevol que sigui la seva situació matrimonial o no (art. 39 CE).

Una altra precisió és respecte de l'exigència de l'heterosexualitat. A la legalitat vigent el nucli a partir del qual s'institucionalitza la família s'assenta en una relació afectiva de projecte de vida en comú entre dues persones, d'igual o diferent sexe.

No tenen la consideració de família ni la situació de convivència d'ajuda mútua (art. 240-1 CCCat), ni la situació d'acolliment de persones grans, en què la condició de grup deriva de l'existència d'un contracte (art. 1 LAPG). No obstant això, als efectes d'aplicació de les mesures d'ajuda de Llei 18/2003 de 4 de juliol, de suport a les famílies poden ser objecte d'alguna d'elles (se'ls qualifica com situacions equiparades a la família, art. 3 LAF).

Segons el nombre de persones que formen part del grup família, d'acord amb els criteris indicats, es parla de família nuclear enfront de la família àmplia.

En l'actualitat el tipus de família més estès és la família nuclear formada exclusivament pels membres d'una unió i, en cas que hi hagi descendència, pels fills comuns o els fills de cada un d'ells que conviuen amb aquells, ja siguin fills per naturalesa ja adoptius; per exclusió aquesta és la família tinguda en compte per la norma. Rep el nom de família reconstituïda la composta pels progenitors, els fills de cada un d'ells no comuns i els fills comuns de l'actual unió (art. 231-1.2 CCCat).

Variant d'aquest tipus de família és l'anomenada família monoparental (també incompleta, 231-1.1 CCCat) que abasta el grup de persones compost per un sol dels progenitors i els fills (art. 39 2. CE). Es defineix com "una família amb infants menors que hi conviuen i que depenen econòmicament d'una sola persona" (art. 2 c) de la LAF) El fet de que no es qualifiqui la persona de la qual depèn com el pare o la mare, revela que a l'efecte d'aquesta llei també tenen la consideració de família les situacions de dependència de menors respecte de guardadors, tutors i situacions anàlogues.

Davant d'aquests s'identifica la família extensa o àmplia que abasta a més de les persones de la família nuclear a totes les unides pel vincle de parentiu fins a un cert grau com a mínim amb un dels membres a partir del qual es constitueix (així, comprèn avis, oncles...). Les normes jurídiques exigeixen, juntament a la dada del parentiu, que s'acrediti la convivència amb la família nuclear o la dependència de la mateixa (cf. art. 231-1.5 2. CCCat).

Un tipus de família ja nuclear ja extensa que es troba especialment recollit i és fruit de la normativa sobre mesures de protecció dels menors, és el format per la parella, casada o no, que rep en acolliment a un menor d'edat que conviu amb ella i si escau amb els propis fills (art. 2.d) i e) de LAF).

La família jurídicament és un grup social que, per si mateix, no arriba a la condició de persona jurídica i en el qual cada un dels seus membres conserva la seva autonomia i independència, però que si se considera com un conjunt respecte de determinades qüestions.

3. EL PARENTIU

El parentiu és la qualitat recíprocament atribuïda a les persones entre si per descendir l'una de l'altra o per tenir un ascendent comú. Com a regla general no es pot dir que entre les persones de les que es predica, es constitueixi una relació jurídica, encara que pot ser el pressupost per fer-ho, així la relació de filiació entre els progenitors i els fills.

Segons es tingui o no en compte la relació biològica/genètica entre les persones es distingeix entre el parentiu per consanguinitat en el qual sí es considera aquella dada (la sang), el d'afinitat, que és el que es predica entre els parents consanguinis de un dels cònjuges respecte de l'altre cònjuge (cunyats, sogres...) i el legal, que és el que la norma crea, fictíciament, a imitació del consanguini, i es dóna en l'adopció (art. 235-47 CCCat). En el parentiu per consanguinitat, també denominat en algunes normes per naturalesa quan se li contraposa a l'adopció, segons hi hagi o no matrimoni entre els progenitors es diferencia entre el matrimonial i el no matrimonial, qualificacions que no s'apliquen a la adopció. Sempre, tots, produeixen els mateixos efectes civils (arts. 235-2 i 235-47 CCCat).

La proximitat en el parentiu es determina pel nombre de generacions. Cada generació forma un grau i cada sèrie de graus forma la línia de parentiu. La línia directa o recta és la que existeix entre les persones que descendeixen l'una de l'altra i pot ser línia descendent i línia ascendent. La descendent uneix el progenitor amb els que descendeixen d'ell i l'ascendent és la que uneix la persona amb aquelles de les quals descendeix (art. 441-3. 1 i 2 CCCat). La línia col·lateral existeix entre els que són parents perquè provenen d'un tronc comú (art. 441-3.3 CCCat). Entre els germans es diferencia els de vincle doble, que tenen els mateixos pares i els de vincle senzill o unilaterals (art. 442-10.1 CCCat) entre els quals només un els pares és comú.

En la computació de graus es diferencia entre línies. En la línia directa es computen els graus pel nombre de generacions descomptant al progenitor; així, entre pare i fill hi ha un grau, dos entre la néta i l'àvia. En la línia col·lateral es sumen les generacions de cada branca del tronc comú, de manera que des de la persona de la qual es fa el còmput es puja fins al tronc comú i després es baixa fins a la persona respecte de la qual es fa la computació descomptant l'ascendent comú; així que els germans disten entre si dos graus, tres graus separen els germans dels pares (els oncles) dels nebots (art. 441-4 CCCat).

4. LES RELACIONS DE CONVIVÈNCIA D'AJUDA MUTUA

La relació de convivència té origen voluntari o fàctic i malgrat que no arriba a la condició jurídica de família ha de considerar-se inclosa en l'àmbit del Dret de Família, ja que afecta l'esfera personal de relació.

4.1. Concepte i constitució

La convivència d'ajuda mútua és aquella situació en què es troben dues o més persones, majors d'edat, entre les quals no hi ha parentiu en la línia recta, que per mitjà d'un contracte o pel transcurs d'un període de dos anys desenvolupen la seva vida en un mateix habitatge habitual i comparteixen amb voluntat de permanència i ajuda recíproca les despeses comunes o el treball domèstic (cf. arts. 240-1, 240-2, 240-3 CCCat).

Requisits personals són:

1. Les parts han de ser majors d'edat (art. 240-2.1 CCCat), exigència que exclou, en inici, els menors emancipats Respecte del major d'edat que tingui la capacitat judicialment modificada que no s'esmenta en la norma s'han d'aplicar les regles generals, de manera que per constituir la relació és necessari que en l'atorgament del pacte o en l'acreditació de l'existència de la

situació intervingui, segons escaigui, el representant legal o el curador.

2. El vincle de parentiu: no es pot constituir la unió entre parents en línia recta, però sí entre parents en línia col·lateral sense límit de grau (art. 240-2.1 CCCat).

3. Relacions prèvies: no es pot establir entre persones que tinguin un vincle matrimonial no dissolt o que formin una parella estable amb la qual conviuen (art. 240-2. CCCat).

4. Nombre de persones: llevat que aquells entre els quals es pacti siguin parents en la línia col·lateral, en els demés hi ha d'haver un nombre de persones mínim de dos i màxim de quatre (art. 240-2.2 CCCat).

La constitució té lloc mitjançant contracte, que quan és exprés ha d'estar en escriptura pública. A falta de voluntat expressa i formal la relació de convivència es constitueix tàcitament quan s'acredita el transcurs de 2 anys de convivència (art. 240-3 CCCat). En aquest cas, la prova de la convivència es pot efectuar per qualsevol dels mitjans admesos (molt útil és l'acta notarial de notorietat, arts. 209 i 210 RN, encara que no és l'únic). Els que conviuen poden regular amb llibertat de forma els pactes pels quals es regeixen, acords que es poden modificar de qualsevol forma (art. 240-4 CCCat).

4.2. Contingut del contracte

El contracte de convivència és aquell pacte entre dues o més persones per mitjà del qual s'estableix una relació de convivència a desenvolupar en el mateix habitatge habitual que té per finalitat compartir, amb voluntat de permanència i ajuda mútua, les despeses comunes o el treball domèstic o ambdues coses (art. 240-1 CCCat). El contracte és bilateral, onerós commutatiu, *intuitu personae* (fundat en la confiança) i de tracte durador.

Les parts tenen plena llibertat per establir el contingut (drets i deures) que tinguin per convenient, així com les clàusules i les causes i efectes de l'extinció (art. 240-4 CCCat) que poden modificar en qualsevol moment. De la delimitació legal se segueix un contingut mínim:

a) El dret/obligació de convivència en el mateix habitatge habitual (art. 240-1 CCCat). L'habitatge pot ser de qualsevol de les persones o comú, és indiferent el dret que legitimi el seu ús

b) Prestar ajuda mútua (art. 240-1 CCCat): no només compartir les despeses i les tasques sinó també l'assistència, la col·laboració i suport en l'àmbit personal el que implica, també, el respecte mutu.

c) Compartir les despeses comunes i el treball domèstic (art. 240-1 CCCat): els que origini l'habitatge i els béns que constitueixen el seu parament, les despeses relatives a l'ús, conservació i manteniment que siguin necessaris i ordinaris d'acord amb les circumstàncies socials i econòmiques. Pel que fa a les despeses extraordinàries s'ha d'estar al que s'ha pactat en el contracte.

Pel que fa a la quantia i distribució es deixa a la voluntat de les parts. Compartir no implica, necessàriament, que la proporció hagi de ser per igual sinó que pot ser desigual, tampoc que la contribució hagi de ser econòmica, compartir, però, sí que suposa que les parts han de contribuir a les despeses ja que no s'obliga a una sola de les parts a fer-se càrrec, en exclusiva, de les mateixes. La forma de contribució pot ser dinerària i mitjançant l'aportació de treball per a la casa. En tot cas depèn d'allò acordat; es pot pactar que es comparteixi aquesta forma o sigui de manera exclusiva en diners o en treball (art. 240-4.1 CCCat). En qualsevol moment per mutu acord les parts poden revisar i modificar el pacte, el que s'ha de fer en escriptura pública.

S'extingeix la relació de convivència per les causes següents (art. 240-5 CCCat): a) Les pactades en el contracte; b) Per mutu acord de tots els convivents; c) Per la denúncia unilateral d'una de les parts; d) Per mort d'una de les parts.

En els casos de relació de convivència de més de dues parts, quan una d'elles decideix separar-se de la relació, contrau matrimoni o estableix una unió estable o mor, no té per què extinguir-se si els altres continuen convivint; s'haurà de modificar el contracte (art. 240-5. 2 CCCat).

En el contracte els convivents poden pactar els efectes de l'extinció de la relació (art. 240-4.2 CCCat), que s'afegiran als que es produeixen ex lege. Efecte comú (també de la modificació) és que queden sense efecte els poders que un dels convivents hagi atorgat a favor de qualsevol dels altres. Igualment resten sense efecte els poders que un dels membres hagi atorgat a favor de qualsevol dels altres o tingui atorgats a favor seu des que 's'aparti de la convivència (art. 240-5.3 CCCat).

Respecte dels efectes particulars s'ha de distingir:

1. Efectes de l'extinció en vida. La previsió legal només es refereix a l'habitatge. Atès l'origen contractual de la relació respecte de l'habitatge regeix el que s'ha pactat, la previsió legal només actua a falta d'acord. Si no s'ha acordat res s'ha de tenir en compte el règim de titularitat de l'habitatge que pot ser de propietat d'una de les parts, de copropietat de totes o d'algunes o d'arrendament (art. 240-6 CCCat).

   Quan l'habitatge sigui propietat d'una de les persones les altres que no siguin titulars tenen un termini de 3 mesos per abandonar-(art. 240-6.1 CCCat). Si pertany en règim de copropietat s'apliquen les regles de la comunitat (arts. 552-1 a 552-12 CCCat).

   Si la legitimació de l'ús deriva d'un contracte d'arrendament, quan l'extinció de la relació és en vida s'apliquen les regles de la legislació arrendatícia, de les que se segueix que si el contracte s'ha pactat amb tots els convivents, els restants podran continuar en el mateix, no així en cas contrari. Axó sense perjudici del pacte amb l'arrendador.

2. Efectes de l'extinció per mort. Es refereixen a l'habitatge i a la pensió periòdica que pot exigir una de les parts.

   a) Habitatge. Prima el pacte, si no, quan l'habitatge era propietat del causant els demès parts no propietàries poden ocupar l'habitatge durant els 6 mesos següents (art. 240-6. 2 CCCat). En el cas de cotitularitat (copropietat) s'apliquen les regles de la comunitat (arts. 552-1 a 552-12 CCCat).

   Quan l'habitatge sigui arrendat i el contracte està a nom del causant els convivents tenen dret a subrogar-se en la titularitat de l'arrendament durant el termini d'un any o pel temps que resti per a l'expiració del termini pactat en el contracte si aquest és inferior. A aquests efectes els convivents han de notificar la mort de l'arrendatari a l'arrendador en el termini de 3 mesos des de la mort (art. 240-6.3 CCCat).

   b) Pensió periòdica. La part o parts supervivents que eren mantingudes total o parcialment pel premort durant l'any anterior a la mort i que no tinguin mitjans económics suficients per mantenir-se tenen dret a exigir una pensió alimentària als hereus d'aquella durant un període màxim de 3 anys (art.

240-7. 1 CCCat). No correspon aquest dret en el cas en què s'hagi exclòs en el contracte de constitució de la relació de convivència (art. 240-7.4 CCCat).

És un dret de crèdit del que és creditor el supervivent i deutors els hereus del premort, de contingut econòmic, una suma de diners concretada en una pensió periòdica, càrrega hereditària que s'exercita contra els hereus del premort. Per determinar la quantia i la durada s'ha de tenir en compte el cost del manteniment de la persona (les seves necessitats), el temps que el creditor va estar mantingut i el patrimoni hereditari. (art. 240-7.2 CCCat).

La manera de pagament depèn del pacte encara que generalment és una pensió periòdica que, atès el caràcter alimentari, s'ha de pagar per mesos avançats. Tanmateix, és possible el pagament d'una única quantitat global mitjançant la seva capitalització a l'interès legal del diner. En aquest cas s'estableix un límit: no pot excedir de la meitat del valor del cabal relicte si els hereus són descendents, ascendents o col·laterals fins al segon grau de consanguinitat del causant, llevat que siguin menors d'edat o discapacitats en què el límit és la cinquena part del valor de l'herència (art. 240-7. 3 CCCat).

L'acció per a exigir la pensió periòdica caduca a l'any a comptar del moment en què es va extingir la convivència (art. 240-7. 5 CCCat).

La pensió periòdica es perd si la persona que la percep es casa, conviu maritalment amb una altra persona o obté aliments de les persones legalment obligades durant el temps en què la percep (art. 240-7.4 CCCat).

Lliçó 2
OBLIGACIÓ D'ALIMENTS

Mª del Carmen Gete-Alonso y Calera

1. L'OBLIGACIÓ D'ALIMENTS: CONCEPTE I CARÀCTERS

L'obligació d'aliments és el deure jurídic legal, de contingut patrimonial, fundat en la relació de parentiu ja establerta o en una situació de convivència institucionalitzada i en l'estat de necessitat de les persones a través de la qual es procura assegurar la subsistència digna i la cobertura de les necessitats més peremptòries.

Els aliments comprenen tots els elements imprescindibles per a la subsistència de la persona: el que és indispensable per al manteniment, l'habitatge, vestit, assistència mèdica, formació i les despeses funeràries (art. 237-1 CCCat).

Com a regla, és la pròpia persona major d'edat (independent jurídica i econòmicament) amb el seu patrimoni qui ha d'afrontar aquestes despeses (cf. art. 1911 CC). La intervenció directa o indirecta en la manutenció d'altres persones en qualitat de obligades legalment, quan aquella no disposa d'aquests mitjans o són insuficients, en l'actualitat s'acostuma a cobrir bé a través de les accions i polítiques socials públics, bé mitjançant el grup de persones més proper: la família i els parents. D'acord amb el model d'estat que es recull en la Constitució de 1978 els poders públics (l'Administració) són els que tenen la funció i el deure de garantir l'assistència, i procurar les prestacions socials suficients, davant situacions de necessitat, especialment en cas d'atur, i de vetllar per la suficiència econòmica dels ciutadans durant la tercera edat i les prestacions i serveis sanitaris necessaris de les persones (art. 41, 43 i 50 CE).

Amb tot, el model de l'estat social del benestar suposa que les funcions i les responsabilitats de proporcionar una vida digna a les persones (cf. art. 10 CE) es distribueix entre les funcions públiques assumides per l'Administració i les privades del grup familiar i amb-dues, la pública i la privada, concorren sense que una exclogui l'altra. Això es plasma, pel que fa a les institucions de dret privat no només en la llibertat dels particulars per concertar contractes sinó també en les normes dels aliments entre si de determinades persones, entre les que està l'obligació legal d'aliments. Fins al punt que, excepte en els mínims la legislació pública (administrativa, i de la seguretat social i pensions) les relatives a la subsistència alimentària de caràcter públic (dependents de fons públics) són subsidiàries. El principi de subsidia-rietat implica que, davant la situació de necessitat de la persona en primer lloc s'hagi d'anar a les obligacions legals privades abans que a les públiques, sense perjudici, però, de la complementarietat entre elles.

Pel que fa a la seva naturalesa, l'obligació d'aliments és legal, la seva font és la llei (art. 1089 CC) que la imposa a determinades perso-nes quan concorren els pressupostos. Pel seu contingut, és una obliga-ció patrimonial, tot i que el seu interès sigui personal jurídicament és una obligació de suma o quantitat de diners. El contingut patrimonial implica que sigui una autèntica obligació, és coercible i exigible com la resta d'obligacions, sense perjudici, naturalment, de les regles par-ticulars pròpies.

La normativa del Codi (arts 237-1 a 237-14 CCCat) s'aplica, sub-sidiàriament a totes les obligacions alimentàries ja voluntàries ja le-gals que tinguin una regulació específica en el seu cas, completant les llacunes de regulació que hi pugui haver (art. 237-14 CCCat).

Cal distingir l'obligació legal de aliments d'altres obligacions ali-mentàries que tenen regulació pròpia, en concret, de:

a) L'obligació alimentària voluntària: la font és la voluntat priva-da; pot derivar d'un acte entre vius, el contracte (contracte d'aliments, vitalici) d'un acte *mortis causa* (llegats d'aliments, per exemple).

b) Els aliments propis d'altres institucions jurídiques: són part del contingut de relacions jurídiques que les comporten i que entren en joc mentre romanguin. S'inclouen aquí les obligacions de manteni-ment del matrimoni (el deure de socors mutu, arts. 231-1 CCCat i 68

CC); els que deuen els pares als fills menors d'edat per raó de la funció parental o de la filiació (arts. 235-2.2, 236-1 CCCat); els dels tutors a les persones sota tutela (art. 222-35 CCCat); els beneficis o drets viduals (any de plor, art. 231-31 CCCat) o per mort d'un convivent (art. 240-7 CCCat).

Convé tenir clar que, tot i la coincidència de les persones entre les que s'originen aquestes obligacions de manteniment, no s'han de confondre amb l'obligació legal d'aliments ja que no només el contingut pel que fa a l' extensió i quantia pot no coincidir, sinó que no sempre són mútues (recíproques) i a més l'obligació legal només neix quan la institució o bé s'extingeix, o es modifica.

Alimentant és la persona obligada a prestar aliments, el deutor de la mateixa; i alimentat és qui que pot exigir la prestació d'aliments, el creditor.

Són caràcters d'aquesta obligació (art. 237-12 CCCat):

a) Personalitat: L'obligació és personalíssima, és irrenunciable, intransmissible i inembargable; tampoc es pot compensar amb el crèdit que, si escau, tingui l'obligat a prestar-los davant del que reclama els aliments (art. 237-12.1 CCCat). La indisponibilitat es refereix al dret d'aliments en general (en abstracte), d'aquí que s'admeti que l'alimentat pugui compensar, renunciar i transigir les concretes pensions alimentàries endarrerides posteriors a la data de la reclamació judicial o extrajudicial, ja que la disposició no és del dret d'aliments sinó de crèdits pecuniaris concrets (les pensions). Perquè no és disposició del dret es permet transmetre per qualsevol títol el crèdit a exigir la reclamació de les concretes pensions endarrerides ja meritades no pagades, sense perjudici del dret de repetició (art. 237-12.2 CCCat).

b) Imprescriptibilitat: la pretensió per a reclamar no està sotmesa a termini, es pot exigir durant tota la vida de la persona titular del dret (art. 121-2 del CCCat). No obstant això, les pensions concretes ja exigibles i no pagades, cadascuna d'elles, prescriuen als 3 anys (art. 121-21 CCCat).

c) Reciprocitat: A l'obligació alimentària la reciprocitat, que deriva del pressupost personal (parentiu, unió) implica que les persones entre les que pot donar-se aquesta relació obligatòria poden exigir-se en abstracte l'obligació entre elles mútuament (cf. art. 237-2 CCCat) encara no alhora, en el mateix moment (qui és deutor avui pot ser creditor matí).

d) Relativitat: El contingut de la pensió alimentària depèn de cada cas concret ja que per a la determinació de la quantia es prenen com a criteris les necessitats de l'alimentat (creditor) i les possibilitats econòmiques del alimentant (deutor) (art. 237-9 CCCat). Característica que determina la variabilitat mentre està vigent és que la quantia pot augmentar o disminuir, no només d'acord amb els índexs que s'hagin previst sinó també per alteració de les necessitats del creditor i de la fortuna de l'obligat (art. 237-9 CCCat).

e) Mancomunitat: Quan els deutors són varies persones l'obligació es distribueix en proporció als recursos econòmics i les possibilitats de les persones obligades de manera que cada un d'ells ha de pagar el que li correspongui. Excepcionalment, ateses les circumstàncies l'autoritat judicial pot establir la solidaritat i imposar que la prestació completa l'efectuï una sola persona durant el temps que es consideri necessari (la solidaritat). En aquest cas, el que resulti obligat pot reclamar als demés, en la relació interna, la part que els correspon amb els interessos legals (art. 237-7 CCCat).

2. SUBJECTES

Estan obligats a prestar-se aliments (art. 237-2 CCCat).

1r. Els cònjuges: L'obligació d'aliments entre cònjuges mentre hi ha matrimoni forma part del contingut, és l'obligació d'auxili mutu (arts. 231-2 CCCat i 68 CC) regida per les regles específiques, només subsidiàriament per les de l'obligació legal d'aliments (art. 237-2 CCCat). La sentència ferma de separació pot donar lloc a una pensió alimentària que és l'obligació legal d'aliments.

2n. Els membres de les parelles estables: qualsevol dels membres en el supòsit d'extinció en vida de la unió té dret a exigir una pensió alimentària quan, a més dels pressupostos ordinaris es provi una de les causes següents: que la convivència ha minvat la capacitat per obtenir ingressos i que, quan hi ha fills comuns, el creditor els te a càrrec i això impliqui una minva de possibilitats per aconseguir ingressos (art. 234-10 CCCat). Aquesta obligació s'estudia a la Lliçó de les parelles estables i es regeix per les seves pròpies normes (art. 237-14 CCCat).

3r. Els descendents: L'obligació alimentària entre els pares i els fills menors d'edat per raó de la funció parental (art. 236-17.1 CCCat) es regeix per les seves disposicions específiques. L'obligació legal d'aliments entre aquestes persones sorgeix quan s'extingeix la funció.

4t. Els germans majors d'edat i no discapacitats només tenen dret als aliments necessaris per a la vida (art. 237-2.3 CCCat).

Estan exempts de prestar aliments les persones que tinguin reconeguda la condició de discapacitades, llevat que atès el seu grau de minusvalidesa, previsiblement les seves possibilitats econòmiques excedeixin de les seves necessitats futures (art. 237-3 CCCat).

És possible que siguin varies les persones obligades a prestar aliments, d'aquí que s'hagi de determinar l'ordre a seguir en la reclamació, la distribució de la càrrega alimentària i la prelació entre ells:

a) La reclamació d'aliments s'ha de fer seguint el següent ordre (art. 237-6 CCCat): 1r. Al cònjuge; 2n. Als descendents seguint l'ordre de proximitat de grau; 3r. Als ascendents seguint l'ordre de proximitat de grau i, en últim lloc; 4t. Als germans. Si els recursos i possibilitats de les persones obligades en primer lloc no són suficients, es poden reclamar aliments, alhora, a les persones obligades en el següent ordre posterior.

b) Quan hi ha més d'una persona obligada a prestar aliments la prestació alimentària es distribueix en proporció als recursos econòmics i a les possibilitats de cadascuna d'elles. Es manté el criteri de la mancomunitat que regeix en els casos de pluralitat de deutors (art. 237-7.1 CCCat).

Excepcionalment, l'autoritat judicial en atenció a les circumstàncies del cas pot imposar la total prestació a un només dels obligats durant e] temps que consideri necessari. En aquest supòsit, el alimentant que es faci càrrec de la prestació pot reclamar a cadascun dels restants alimentants la part que els correspongui amb els interessos legals (art. 237-7.2 CCCat).

Si l'obligació alimentària s'extingeix o si es redueix la quantia de la prestació respecte d'una sola de les persones obligades, quan hi ha diverses (pluralitat), es podrà sol·licitar per l'alimentat la modificació de la mateixa (art. 237-9.2 CCCat).

c) Prelació entre la pluralitat de alimentistes: La necessitat de determinar un ordre apareix quan dos o més persones alimentistes (pluralitat) reclamen aliments d'un únic alimentant i aquest no compta amb mitjans suficients per atendre les necessitats de tots.

En aquest cas la jerarquia és: 1r. El cònjuge; excepte en el supòsit en què concorri amb un fill menor d'edat sota la potestat de la persona obligada en què és preferit aquest; 2n. Els descendents seguint l'ordre de proximitat de grau; 3r. Els ascendents seguint l'ordre de proximitat de grau i, 4t Els germans. (arts. 237-8 y 236-6 CCCat).

3. PRESSUPOSTOS I NAIXEMENT DE LA OBLIGACIÓ

Els pressupostos de l'obligació d'aliments són les circumstàncies que formen part del supòsit de fet de la norma, delimiten l'obligació i es refereixen a una determinada condició de relació de la persona amb altres i a la situació respecte a la subsistència. Els pressupostos han de concórrer conjuntament, la manca de qualsevol impedeix el naixement de l'obligació. Són:

1. Relació entre les persones: alimentant i alimentat són parents o existeix o ha existit matrimoni, exigència que implica una reducció notable de les persones entre les que pot donar-se l'obligació legal.

2. L'estat de necessitat: L'obligació d'aliments només la pot reclamar la persona que els necessita per a la seva subsistència digna sempre que la necessitat no derivi d'una causa que li sigui imputable i mentre romangui (art. 237-4 CCCat). La persona ha d'esgotar el seu patrimoni per procurar per la seva subsistència i únicament quan no té mitjans o són insuficients està legitimada per exigir l'establiment de l'obligació d'aliments.

L'obligació d'aliments neix quan es donen els pressupostos; es té dret als aliments des que es necessiten ('art. 237-5.1 CCCat). Perquè neixi l'obligació legal d'aliments no n'hi ha prou amb la concurrència dels pressupostos de l'obligació sinó que s'ha de reclamar pel alimentista a l'alimentant, moment que determina l' existència. Amb tot, malgrat que hi ha d'haver una reclamació expressa de l'alimentat a l'alimentant no cal que es demani judicialment.

La reclamació es pot fer (art. 237-5.1 CCCat) en via judicial en el que la demanda es substància pels tràmits del judici verbal, (art. 250. 1 8 ° LEC) o extrajudicialment, fora del procés que pot desembocar en la constitució voluntària de l'obligació legal d'aliments. No importa la manera en la qual s'hagi reclamat i fixat el deute d'aliments legal (via judicial o extrajudicial) als efectes de la seva qualificació; amb tot, la constitució judicial pot ser útil en alguns casos (la normativa fiscal exigeix que s'hagi dictat sentència).

Encara que es tingui dret als aliments des que es necessiten no es poden demanar els anteriors a la data de la reclamació judicial o extrajudicial degudament provada (art. 237-5.1 CCCat). Això no implica que quan de manera voluntària l'alimentant hagi complert amb l'obligació fins i tot sense reclamació, es pugui dir que s'està davant d'un pagament d'allò de lo indegut. En efecte, sempre que concorrin els pressupostos el pagament d'aliments de manera voluntària és compliment d'una obligació civil. No obstant això, quan els alimentistes són els fills menors d'edat, sí que es poden exigir els aliments anteriors en un any a la reclamació judicial o extrajudicial, si la reclamació no es va poder fer per una causa imputable a l'alimentant (la persona a la qual es reclama) (art. 237-5.2 CCCat).

La legitimació per reclamar correspon a l'alimentat i en el cas que sigui menor d'edat o tingui la capacitat modificada judicialment al seu representant legal (art. 237-4 CCCat). Així mateix, per tal de donar efectivitat a la protecció de la vida i de les necessitats de la persona (arts. 41, 43 i 50 CE) s'atribueix legitimació per reclamar a l'entitat pública i privada que tingui en acolliment a l'alimentat (art. 237-4 CCCat), supòsit al qual s'ha d'equiparar la guarda de fet (arts. 225-1 i 225-2 CCCat). Aquest criteri s'aplica tant als menors d'edat en situació d'acolliment en sentit tècnic com a la persona major d'edat que, sense tenir la capacitat d'obrar modificada judicialment, es trobi en situació de guarda de fet en una institució pública o privada. Els particulars acollidors de persones grans no són entitat pública o privada, però són guardadors de fet dels acollits als quals estan vinculats mitjançant contracte (art. 225-3 CCCat).

4. LA PRESTACIÓ D'ALIMENTS

L'obligació d'aliments no difereix de les que deriven d'altres fonts, es tradueix, generalment, en una prestació (pensió) de contingut dinerari (obligació pecuniària), a diferència d'altres supòsits en què la prestació pot comportar activitat (així, l'obligació assistencial que es deriva, per exemple, d'un contracte d'acolliment de persones grans).

La prestació alimentària abasta totes les despeses i desemborsaments indispensables per assegurar que la persona (alimentat) pot subsistir i desenvolupar-se dignament, en condicions d'igualtat i llibertat (cfr. art. 10 CE). En general, el contingut dels aliments compren els elements (conceptes) vitals per procurar tal finalitat. Es fa necessari concretar quines tenen la consideració de indispensables. De la descripció legal se segueix que són aliments les partides relatives al manteniment de la persona, l'habitatge, el vestit, la formació quan l'alimentat és menor d'edat i la continuació de la formació durant la majoria d'edat si la causa que no hagi conclòs no és imputable a la persona que reclama aliments i sempre que mantingui un rendiment regular i l'assistència mèdica. A aquestes partides, encara que *strictu sensu* no són aliments, la llei afegeix les despeses funeràries quan no estan cobertes d'una altra manera. La precisió, pel que fa a aquestes, és important perquè implica que qui en vida estava obligat a prestar aliments a la persona que mor, ha de satisfer aquestes despeses d'enterrament i funeral quan aquell no deixés patrimoni per a sufragar-les (art. 237-1 CCCat).

La quantia es determina tenint en compte (art. 237-9. CCCat):

a) Les necessitats de l'alimentat. Dada de caràcter relatiu i individual. La relativitat suposa s'aprecia respecte de la persona concreta que reclama. Les condicions i situacions en què es troben les persones no són iguals, tampoc, per tant, les necessitats. La individualitat comporta que es pren en consideració, exclusivament, a la persona i no les relacions o vincles d'aquesta amb altres. Així, si qui reclama aliments als seus pares té fills menors d'edat a qui alimentar, per determinar les necessitats d'aquest alimentat no es té en compte aquesta dada sinó únicament pel que fa a ell individualment; si els seus fills requereixen aliments hauran de reclamar-los dels avis.

b) Els mitjans econòmics de l'alimentant: són el patrimoni i els ingressos que provinguin tant del treball com dels fruits i rendes que generin els seus béns. En el que afecta a l'alimentant es tradueix en que per determinar la quantia dels aliments s'han de descomptar prèviament els mitjans econòmics que necessita el propi alimentant per afrontar les seves necessitats i al compliment de les obligacions alimentàries de les que sigui ja deutor i que siguin preferents (art. 237-13.1 b) CCCat). No s'exigeix que el deutor faci servir tots els seus béns per procurar la subsistència dels possibles alimentistes. D'aquí que si els recursos i possibilitats de les persones primerament obligades no són suficients, es puguin reclamar aliments als alimentants obligats del grau següent (art. 237-6.2 CCCat).

En el cas en què estiguin obligades diverses persones (alimentants), la quantia que correspon a cadascuna d'elles es determina individualment en relació amb l'alimentat; hi ha tantes prestacions (obligacions) com alimentants, i a més, la quantia és proporcional; no importa l'ordre que ocupen els alimentants (art. 237-7.1 CCCat).

En atenció a la quantia es distingeix entre:

a) Els aliments amplis o civils, són els dels cònjuges, els ascendents i els descendents (art. 237-2.1 CCCat).

b) Els aliments naturals o estrictes, únicament els imprescindibles o necessaris per a la vida. La característica és que la fixació de la quantia no pren en consideració més que les necessitats mínimes de subsistència del creditor, per evitar la indigència del mateix i es descarten els altres. Procedeix aquest tipus d'aliments en l'obligació que existeix entre els germans majors d'edat, no discapacitats (art. 237-2.3 CCCat).

La fixació de la quantia concreta en cada cas s'efectua bé per mutu acord entre alimentant i alimentat, quan s'estableix extrajudicialment, o per l'autoritat judicial. En aquest mateix acte es poden fixar les bases d'actualització anual de la pensió bé prenent com a criteri les variacions de l'índex de preus al consum o un altre similar, sens perjudici d'altres bases complementàries d'actualització (art. 237-9 CCCat).

Tot i que la norma legal només preveu la constitució de garanties per assegurar el compliment de l'obligació quan el alimentant (deutor) ha deixat de complir puntualment més d'una pensió, cas en el qual l'autoritat judicial pot adoptar les mesures que estimi necessàries (art. 237-10.3 CCCat), també es poden pactar per les parts quan l'obligació es determini voluntàriament.

Conseqüència dels caràcters d'aquesta obligació és la de la variabilitat de la quantia mentre persisteix, es pot augmentar o reduir, ateses les circumstàncies i ja a requeriment del alimentant (per exemple, perquè es redueixen els seus mitjans econòmics), ja del alimentat (augment o disminució de les seves necessitats) (art. 237-9.2 CCCat).

La prestació de l'obligació d'aliments és una suma dinerària, que s'ha de complir mitjançant el lliurament periòdica, i per mensualitats avançades, de la quantitat correspondent (art. 237-10.1 CCCat). És una pensió periòdica, fraccionada en el temps i dinerària. No obstant, el alimentant (el deutor de la prestació) pot optar per satisfer els aliments acollint i mantenint a casa a l'alimentat, llevat que aquest s'oposi per causa raonable o quan la convivència sigui impossible (art. 237-10.2 CCCat).

Quan hi ha una pluralitat de alimentants i tots volen acollir l'alimentat i no es posen d'acord, és el jutge qui decideix i ha d'escoltar l'alimentat i als alimentants, la voluntat del alimentista que té plena capacitat d'obrar té caràcter preferent (art. 237-10.2 CCCat).

L'obligació d'aliments no té caràcter personalíssim el que implica que pot ser completrta per persones no obligades, o sigui que és possible el pagament de tercer (art. 1158 CC). En inici, li són aplicables les regles generals del dret d'obligacions; no obstant això, les necessitats que cobreix la prestació alimentària i la reiterada pràctica de pagament per persones alienes ha propiciat que el legislador disposi una regla específica en l'art. 237-11 CCCat.

Qualsevol persona, sigui física sigui jurídica, i aquesta ja pública o privada, que presti aliments a una altra quan l'obligat no ho faci, pot repetir contra aquest o els seus hereus les pensions corresponents a l'any en curs i l'any anterior, amb els interessos legals i subrogar de ple dret, fins a l'import total indicat, en els drets que l'alimentat té contra el alimentant, llevat que consti que els aliments es van donar desinteressadament i sense ànim de reclamar-los (art. 237-11.1 CCCat).

Per assegurar el reintegrament de les quantitats alimentàries que s'avancen, a petició de l'entitat pública o privada, de les persones físiques o del ministeri fiscal, l'autoritat judicial pot adoptar les mesures que consideri convenients. També es poden adoptar les mesures oportunes per assegurar el pagament dels aliments futurs després d'escoltar l'alimentat i als alimentants. (art. 237-11.2 CCCat).

5. EXTINCIÓ DE L'OBLIGACIÓ D'ALIMENTS

L'obligació de prestar aliments s'extingeix (art. 237-13 CCCat):

a) Per la mort de qui és alimentat o de la persona o les persones obligades a prestar aliments. L'obligació, si escau, subsistirà per a l'únic alimentant quan són varis i només un d'ells mori i, si escau, es pot sol·licitar que s'augmenti la quantia. L'obligació no es transmet als hereus. La pensió cobrada corresponent al mes en el s'ha produït la mort de l'alimentat no s'ha de tornar (art. 237-10.1 CCCat).

b) El divorci i la declaració de nul·litat del matrimoni. La raó, en aquest cas, és que cessa la relació jurídica entre els cònjuges, a diferència del que passa en la separació judicial. Una qüestió diferent és la prestació compensatòria.

c) Perquè es redueix el patrimoni i les rendes dels obligats de manera que aquests no poden fer front al compliment de l'obligació sense desatendre les seves pròpies necessitats i les d'aquelles persones que tenen un dret preferent d'aliments.

d) Per desaparició de l'estat de necessitat de l'alimentat, que és un dels pressupostos de l'obligació. S'entén que es produeix quan es constata una millora en les condicions de vida de l'alimentista que fan que la prestació sigui innecessària (cf, art. 237-4 CCCat).

d) Perquè l'alimentat hagi incorregut en les causes de desheretament establertes en l'art. 451-17 CCCat.

f) Per la privació de l'autoritat parental sobre la persona obligada si l'alimentista és el pare o la mare, llevat que es recuperi.

Les causes d'extinció són taxades i, quant suposen la desaparició d'un dret, no es poden admetre altres fets que els específicament relacionats en la llei.

Lliçó 3
LA FILIACIÓ (I)

Mª del Carmen Gete-Alonso y Calera

1. LA FILIACIÓ

La filiació és la relació jurídica entre pare-mare i fill fundada en el fet biològic que aquest descendeix d'aquells (procreació). En inici pren com a fonament el fet biològic però tal correspondència pot no donar-se i fins i tot pot atribuir filiació jurídica on en la naturalesa no existeix. Es regula en el CCCat (arts, 235-1 a 235-50), la LEC (arts. 764-768) i la Llei 14/2006 de 26 de maig, sobre tècniques de reproducció humana assistida (LTRA).

1.1. Concepte, principis i caràcters

En tots els ordenaments són principis rectors de la filiació:

1r. El de veracitat que es tradueix en la lliure investigació de la paternitat/maternitat. L'art. 39.2 CE sanciona que "La llei farà possible la investigació de la paternitat"; principi desenvolupat per l'art. 767. 2 LEC: "en els judicis sobre filiació és admissible la investigació de la maternitat i la paternitat mitjançant tota mena de proves, incloses les biològiques".

2n. El principi d'igualtat entre tot tipus de filiació, al qui obliguen els arts. 14 i 39 CE i que es posa en relleu en els efectes de la filiació.

3r. El principi *favor filii*: la primacia de l'interès del menor sobre qualsevol altre interès legítim (art. 211-6 CCCat).

La filiació determinada o constituïda oficialment comporta l'establiment d'una relació jurídica entre pare-mare i fill. La filiació biològica és una relació triangular, tota persona descendeix necessàriament de dues; però jurídicament pot no ser així i cal que només hi hagi filiació respecte d'un dels progenitors.

La filiació és una qualitat jurídica personalíssima de l'individu que determina la seva identificació en el tràfic jurídic; com a tal és irrenunciable, no disponible i imprescriptible. D'això es deriva l'escàs marge de l'autonomia privada i presencia del Ministeri Públic en els processos de filiació.

Es distingeixen dues classes o tipus de filiació: per naturalesa o per adopció (arts. 235-1 CCCat).

1.– *La filiació per naturalesa* (art. 235-1 CCCat): correspon a la relació biològica de generació; en ella es diversifica entre la filiació matrimonial i la filiació no matrimonial atenent si entre els progenitors existeix o no matrimoni. Jurídicament només la filiació matrimonial és indivisible, en el sentit que la seva determinació i fixació sempre ha de fer-se en relació amb el pare i la mare ja que la qualitat de matrimonial implica a tots dos progenitors/cònjuges.

La filiació generada a partir de les tècniques de reproducció assistida no és una tercera categoria de filiació, es reconduïx a la filiació per naturalesa (arts 235-8 i 235-13 CCCat) i es qualifica com a matrimonial o no matrimonial segons que els pares estiguin o no casats entre si en el moment en què intervé la tècnica de reproducció. S'ha optat per no exigir el principi de correspondència genètic que pot no donar-se en aquest cas (quan les cèl·lules que es van emprar no pertanyin als pares, tècnica heteròloga) i atorgar primacia al principi del consentiment, la voluntat d'assumir la relació.

La filiació per naturalesa està fundada en l'existència de la relació biològica (i correspondència genètica, en principi) entre els progenitors i els fills, derivada de la fecundació (natural o assistida) de la mare i en la gestació durant un període de temps. El Codi de Catalunya recollint una tradició jurídica comuna, disposa que el període legal de concepció comprèn els primers 120 dies del període de gestació que es presumeix que és de 300 dies (art. 235-4 CCCat). És una presumpció *iuris tantum*: en el cas en què proves concloents demostrin que la gestació ha durat més de 300 dies, el període legal de concepció es refereix als primers 120 dies del temps real de gestació.

S'estableix jurídicament quan es determina a través d'algun dels medis delimitats i és en la que el principi de veritat biològica té més transcendència.

2.– *La filiació adoptiva*: es constitueix judicialment entre els que compleixen els requisits que estableix la llei (art. 235-39 CC-Cat). Per aquest motiu, com a regla general és una filiació legal. No es determina sinó que es constitueix quan, complerts els requisits i els tràmits previstos en les normes, queda establerta (235-39 CCCat).

La determinació si deriva d'una resolució judicial fruit d'un procés s'anomena judicial i és extrajudicial en els altres casos; en ambdós produeix l'existència legal de la concreta filiació que esdevé la veritat oficial, qualsevol pretensió de determinar una filiació diferent, per al mateix cas, és ineficaç si en resulta acreditada una altra de contradictòria (arts. 764.2 LEC, 235-19 CCCat).

Diferents de la manera judicial o extrajudicial a través dels quals es determina la filiació són els medis per fixar-la en els quals es distingeix entre la filiació matrimonial i la filiació no matrimonial. Així mateix s'ha separar la determinació de la maternitat i la de la paternitat.

1.2. Efectes

El contingut de l'estatus de filiació és el mateix tant si es tracta de la filiació per naturalesa, tant la matrimonial com la no matrimonial, ja de l'adoptiva (art. 235-2 CCCat) donat el principi d'igualtat (arts. 14 i 39 CE). La determinació de la filiació comporta:

a) L'establiment de la relació de parentiu entre pare/mare i fill, segons correspongui amb un o dos progenitors.

b) La funció parental a favor dels progenitors, sobre els fills menors no emancipats o els majors d'edat amb capacitat modificada judicialment.

c) Els cognoms del pare o de la mare o de tots dos. L'ordre dels mateixos és el que determina la legislació registral civil (arts. 49 LRC).

d) Els aliments i el deure de vetllar pels fills. És l'obligació alimentària inherent a la funció parental (art. 236-17 CCCat), i extingida o quan no existeix (per extinció o exclusió) l'obligació legal d'aliments de caràcter recíproc entre pares i fills (arts. 237-2 i ss CCCat).

e) Els drets successoris: El dret a la legítima (art. 451-3 CCCat); i en la successió intestada (art. 442-1 i 443-1 CCCat).

L'eficàcia limitada implica que encara que la filiació es determina legalment se li restringeixen els efectes al progenitor per les causes que estableix la llei (art. 235-14 CCCat):

1.– Quan la determinació de la filiació deriva de sentència penal ferma en la qual s'ha condemnat al progenitor per causa de les relacions que han donat lloc a la mateixa. Es el que preveu l'art 193 del Codi Penal relatiu a la paternitat; malgrat que la maternitat pot provar-se en un procés penal, com no està previst que la sentència la determini, s'ha de fer en un procés civil.

2.– Quan la filiació ha estat declarada judicialment, amb oposició del progenitor. Ha de tractar-se d'una determinació judicial de la filiació efectuada forçosament, és a dir, sense (i fins i tot, contra) la voluntat del progenitor i que ha d'existir oposició del progenitor al que es limita l'eficàcia. Per apreciar l'oposició no és suficient la simple oposició a la demanda, ni la passivitat, el que es valora és la conducta de rebuig.

3.– Quan el reconeixement s'ha fet amb mala fe o abús de dret.

Perquè operi la limitació cal petició expressa del fill major d'edat o emancipat, o del representant legal d'aquell quan és menor d'edat o te la capacitat modificada judicialment. La limitació implica que només es determina la filiació però que els efectes no es produeixen, però és unilateral: no produeix cap dret a favor del progenitor, i cessa el caràcter recíproc dels drets i aquest:

a) Queda exclòs de les funcions tuïtives i de guarda, en general. Així no té la potestat paterna/materna; no pot deferir la tutela ni la curatela dels seus fills; ni pot ser designat per a cap funció de tutela.

b) No té dret a exigir aliments legals al seu fill. Però, en canvi, el progenitor exclòs contínua obligat a vetllar pel fill i a prestar-li aliments.

c) No li corresponen cap tipus de drets successoris ni qualsevol altre de caràcter patrimonial.

d) En cap dels casos, el fill ostenta el cognom del progenitor en qüestió, excepte en els casos en què ho sol·liciti ell mateix (quan sigui major d'edat, emancipat o major de 14 anys) o el seu representant legal.

A contrari, el fill conserva, davant del progenitor, tots els seus drets. També, si li interessa i ho aprova el jutge, pot autoritzar la comunicació entre el pare i el fill.

2. DETERMINACIÓ DE LA MATERNITAT

El concepte jurídic de maternitat es vincula a una dada: l'embaràs i part de la dona (art. 10. 2 LTRA), el que es predica de la filiació matrimonial, no matrimonial, ja amb la intervenció de tècniques de reproducció assistida o no.

La maternitat resulta del naixement, el que exigeix la comprovació del fet del part de la mare a la qual s'imputa i de la identitat del nascut (art. 235-3 CCCat), no es té en compte la procedència de les cèl·lules (òvuls-esperma) que van facilitar la concepció ja que el rellevant és la gestació i el part. Per aquest motiu, en els casos de maternitat subrogada, jurídicament mare és qui dóna a llum (art. 10. LTRA), la gestant.

En el part facultatiu que acompanya la declaració per fer la inscripció de naixement consta la identitat de la mare i en la inscripció en el Registre civil, llevat dels casos d'abandonament consta necessàriament la maternitat, tot i que l'accés a aquesta informació és restringit quan la mare per motius fundats ho sol·liciti i sempre que renuncïi a exercir els drets derivats de la filiació (art. 44.3 i 4 LRC).

La maternitat matrimonial s'estableix per relació al matrimoni dels pares, de manera automàtica quan operen les presumpcions de paternitat del marit. Si es constata que la mare té vincle matrimonial amb una persona diferent de la que figura en la declaració es practica la inscripció de naixement de manera immediata només amb la filiació materna i es procedeix a l'obertura d'un expedient registral per a la determinació de la filiació paterna (art. 44.4 LRC). També consta com filiació matrimonial quan la mare estigui casada, i no separada legalment o de fet, amb una altra dona i aquesta manifesta que consent que es determini a favor seu la filiació respecte al fill nascut del seu cònjuge (art. 44.5 LRC i 7.3. LTRA) (el fill tindrà dues mares).

Quan es pretén la inscripció de la maternitat matrimonial fora del termini establert per a la inscripció de naixement s'exigeix, per a la constància registral de la maternitat matrimonial, la tramitació d'un expedient registral (art. 44. 7 LRC)

3. DETERMINACIÓ DE LA PATERNITAT MATRIMONIAL

La paternitat matrimonial es determina (art. 235-3 CCCat), pel matrimoni del pare amb la mare, i si escau per sentència ferma. Per determinar-la la norma acudeix a presumpcions que parteixen de la dada d'estar casat el marit amb la mare i el moment de naixement del fill en el matrimoni (*pater it est quem nuptias demonstrant*-Paulo. D. 2.4.5).

La *presumpció de paternitat marital* es fonamenta en el principi de normalitat (art, 235-5.1 CCCat): es consideren fills del marit els nascuts després de la celebració del matrimoni i dins dels 300 dies següents a la dissolució o la separació legal o de fet. Es pren com a base la convivència matrimonial, que es presumeix (arts. 69 CC, 231-2 i 231-2 CCCat), que determina que hi ha cohabitació, i la durada de la gestació de 300 dies. És una presumpció *iuris tantum*, pot ser destruïda quan tot i complir amb els fets en els quals es funda, es demostra que el fill no és del marit de la mare.

La presumpció no opera per als fills nascuts transcorreguts 300 dies de la separació legal o de fet dels cònjuges o de la declaració de nul·litat del matrimoni o de la sentència de divorci, no perquè s'elimini sinó perquè no concorre un dels fets en els quals es fonamenta. No obstant això encara pot arribar-se a determinar la paternitat del marit de la mare (art 235-5.2 CCCat): a) En el cas de separació legal o de fet dels pares si es prova que els fills han nascut a conseqüència de les relacions sexuals entre els cònjuges; b) En el cas de nul·litat o divorci si es prova que les relacions sexuals han tingut lloc abans de la dissolució del matrimoni (art. 235-5.2 CCCat).

Quan *el fill neix dins els 180 dies següents a la celebració del matrimoni*, la presumpció de paternitat marital és més feble ja que la concepció s'ha produït abans i entre persones no cònjuges no existeixen els deures derivats del matrimoni. És això el que permet que, encara que operi la presumpció, el marit pugui deixar sense efecte la determinació declarant que desconeix la paternitat (art. 235-6.1. CCCat).

Perquè el desconeixement sigui eficaç es requereix que hi hagi matrimoni abans del naixement, que el naixement hagi tingut lloc dins dels 180 dies següents a la celebració del matrimoni i declaració de desconèixer la paternitat que ha de ser: expressa; manifestar que deixa sense efecte la determinació de la presumpció de paternitat (no ha de provar que no és el pare), formal: ha de ser autèntica. La declaració autèntica és la continguda en el document aportat per practicar la inscripció al Registre Civil o feta davant l'encarregat del Registre Civil; i s'ha de formalitzar dins el terme dels 6 mesos següents al coneixement del part. Transcorregut el termini no és possible desconèixer la paternitat però resta subsistent l'acció d'impugnació.

La declaració de desconeixement no és eficaç (la paternitat es determina en favor del marit de la mare) quan es dóna alguna d'aquestes circumstàncies (art. 235-6.2 CCCat): a) El marit ha reconegut la paternitat expressament o tàcitament, no és el reconeixement formal sinó qualsevol manifestació; b) Quan l'espòs ha conegut l'embaràs de la mare abans de contraure matrimoni, llevat que la declaració de desconeixement es faci amb el consentiment de la dona, abans del matrimoni o després d'aquest, dins dels 6 mesos següents al naixement del fill; c) En el cas que la mare provi que va mantenir relacions sexuals amb el marit durant el període de concepció.

El desconeixement de la paternitat és una facultat que s'exercita en la via extrajudicial, és exclusiva i personalíssima del marit, a la seva defunció no estan legitimats els seus fills, descendents i hereus.

Els *fills nascuts abans del matrimoni del pare i de la mare* tenen, des de la data d'aquest, la condició de matrimonials sempre que la filiació quedi determinada legalment. És una filiació no matrimonial que aconsegueix la condició matrimonial amb posterioritat i pel matrimoni. Es requereix: la celebració del matrimoni dels pares després del naixement i que la filiació es determini a través dels mitjans previstos per la filiació no matrimonial (arts 235-9 i ss CCCat). La impugnació d'aquesta filiació es regeix per les regles de la filiació no matrimonial. La condició de matrimonial del fill existeix des de la data de la celebració del matrimoni de manera automàtica no arriba al període anterior (art. 235-7.CCCat).

Quan en l'espai temporal de la presumpció de paternitat matrimonial (300 dies següents a la dissolució o nul·litat del matrimoni, art. 235-5.1 CCCat) la mare contrau posterior matrimoni i neix un fill en els 180 dies següents a aquell es planteja un conflicte a l'hora de determinar la paternitat (a favor de l'anterior marit o de l'actual). La norma indica que si dins dels 300 dies següents a la dissolució o la declaració de nul·litat del matrimoni té lloc un nou matrimoni de la mare es presumeix que els fills nascuts després de la celebració del matrimoni són fills del segon marit. És una presumpció *iuris tantum*, cal que l'actual marit de la mare provi que no es tracta del seu fill, per la qual cosa haurà d'acudir a l'exercici de l'acció de filiació corresponent (la d'impugnació de la paternitat matrimonial) (art. 235-5.3. CCCat)

4. DETERMINACIÓ DE LA FILIACIÓ NO MATRIMONIAL

En els medis de determinació de la filiació no matrimonial s'han de distingir entre els judicials i els extrajudicials: el reconeixement formal, la resolució dictada en expedient registral i la presumpció de paternitat no matrimonial (art. 235-10 CCCat).

Judicialment la filiació es determina en sentència ferma derivada d'un procediment civil (acció de filiació); en el procés penal l'art. 193 del CPen disposa: "En les sentències condemnatòries per delictes contra la llibertat sexual, a més del pronunciament corresponent a la responsabilitat civil, es faran si escau, els que procedeixin amb vista a la filiació i fixació d'aliments".

Respecte a la resolució recaiguda *en expedient* tramitat d'acord amb la legislació del Registre Civil (art. 44.7 LRC): s'inscriu la filiació en expedient aprovat per l'encarregat del Registre Civil, sempre que no hi hagi oposició del Ministeri Fiscal o de part interessada notificada personal i obligatòriament, si es dóna alguna de les circumstàncies següents: a) Escrit indubtable del pare o de la mare en què expressament reconeix la filiació; b) Quan el fill està en la possessió contínua de l'estat de fill del pare o de la mare, justificada per actes directes del mateix pare o de la seva família i b) Respecte de la mare, sempre que es provi complidament el fet del part i la identitat del fill.

Es *presumeix la paternitat no matrimonial* (art. 235-10 CCCat):

a) De l'home amb el qual la mare ha conviscut durant el període legal de concepció: és a dir, almenys durant els 120 primers dies del període de gestació (art. 235-4 CCCat); no s'exigeix situació de parella estable.

b) De l'home amb el qual la mare ha mantingut relacions sexuals dins el període legal de concepció. Aquestes relacions sexuals no es pressuposen, es poden acreditar a través dels mitjans de prova admesos en dret.

c) De l'home que ha reconegut la paternitat tàcitament o de forma diferent de la indicada a l'article 235-9 CCCat. És la declaració de ciència i d'admissió, per part del pare, és a dir el reconeixement aformal La possessió d'estat de fill és una de les manifestacions d'aquest reconeixement tàcit.

La presumpció de paternitat no matrimonial actua, fonamentalment, en l'àmbit dels processos de filiació (accions de reclamació i impugnació) invertint la càrrega de la prova.

El reconeixement és la declaració del pare o la mare, mitjançant la qual es revela el fet de la relació biològica utilitzant una determinada forma i complint amb els requisits que estableix la llei, que produeix l'efecte de determinar la relació (jurídica) de filiació. Les formes són taxades: el testament, el document públic i la declaració efectuada davant l'encarregat del Registre Civil (art. 235-9.1 a CCCat). És un acte jurídic personalíssim, unilateral, formal, irrevocable (art. 422-8 CCCat), confidencial. En el reconeixement fet per separat no es pot manifestar la identitat de l'altre progenitor si no ha estat ja determinada legalment (arts. 235-9.2 CCCat).

Pel que fa al testament només són vàlides les formes testamentàries que siguin documents públics. Per reconèixer en testament cal, a més de tenir capacitat per reconèixer ostentar la capacitat per atorgar testament. Qualsevol forma testamentària (notarial o no) és apta per contenir un reconeixement (arts 421-7 a 421-19 CCCat).

Tenen capacitat per reconèixer la paternitat els majors de 14 anys i per a la maternitat la mare des que s'acrediti el fet del part, sigui quina sigui la seva edat. En tots dos casos cal que tinguin capacitat natural (art. 235-11.1 CCCat). Perquè sigui vàlid el reconeixement fet per menors no emancipats o persones incapacitades, cal l'aprovació judicial amb audiència del ministeri fiscal (art. 235-11 CCCat).

Per a l'eficàcia del reconeixement: a) En el reconeixement d'un fill major d'edat o emancipat cal comptar amb el seu consentiment exprés o tàcit. Quan el fill major d'edat no atorga el consentiment no es pot determinar la filiació per aquesta via, els pares hauran d'acudir a la via judicial (l'acció de reclamació). b) En el reconeixement del fill menor d'edat o amb capacitat modificada judicialment fet posteriorment a la inscripció de naixement si es fa mitjançant declaració davant l'encarregat del Registre civil s'exigeix el consentiment exprés de la mare, del fill si era major d'edat o del seu representant si és menor d'edat o quan tinguiui la capacitat modificada judicialment de qui correspongui. c) En el reconeixement del fill mort han de consentir els seus descendents per si o pels seus representants legals (arts. 44.7 LRC, 235-12 CCCat).

5. DETERMINACIÓ DE LA FILIACIÓ EN LA REPRODUCCIÓ ASSISTIDA

Els principis que regeixen són: a) La donació de cèl·lules com a regla, és anònima, gratuïta, el donant ha de ser major de 18 anys, tenir plena capacitat i complir certs requisits psíquics-físics (art. 5 LTRA); només en els casos que preveu la llei pot revelar la identitat del donant; b) La determinació de la paternitat es fonamenta en el principi del consentiment (art. 8 LTRA); c) La maternitat per substitució o subrogada es prohibeix (art. 10 LTRA).

Fecundació en vida del marit o de l'home. La determinació de la filiació si empren cèl·lules pròpies (homòloga) es fa pels mitjans ordinaris. Quan la tècnica és heteròloga, si la dona està casada s'exigeix, a més el consentiment del marit, llevat que hi hagi separació legal o divorci o separació de fet de mutu acord que consta fefaentment (art. 6.3 LTRA). La paternitat es fixa i ni marit ni dona poden impugnar la filiació matrimonial del fill nascut per conseqüència de la fecundació (art. 8.1 LTRA).

L'home no casat ha de donar abans de la utilització de les tècniques el consentiment; a l'efecte de determinar la filiació, el document del centre o establiment en el que es contingui aquest consentiment es considera com escrit indubtable exigit per a la incoació de l'expedient registral (arts. 8. 2 LTRA, 235-9 CCCat). Quan l'home que va donar el seu consentiment es nega a reconèixer-la, es pot exercitar l'acció de reclamació de la paternitat.

La inscripció en el Registre Civil no reflecteix dades de les què es pugui inferir el caràcter de la generació (art. 7. 2 LTRA). La revelació de la identitat del donant en els casos previstos legalment no implica en cap cas determinació legal de la filiació (art. 8.3 LTRA).

El consentiment per determinar la paternitat exigit és lliure, conscient i formal: exigeix document del centre autoritzat o document públic; exprés, pot ser el consentiment requerit per practicar la tècnica del document oficial sanitari però ha de contenir la manifestació de la voluntat d'assumir la paternitat de l'ésser que neixi. És personalíssim; previ a la pràctica de la tècnica i revocable fins al moment de la pràctica (arts 235-8, 235-13 CCCat i 6 LTRA).

La fecundació assistida *post mortem* comporta la determinació de la paternitat en favor del fill concebut i nascut després de la mort del pare sempre que es compleixin els requisits legals: a) Ha de ser una tècnica de reproducció assistida homòloga, no s'admet la heteròloga; b) L'home ha de consentir en escriptura pública o testament a què es practiqui la tècnica després de la seva mort, es presumeix en el procés de reproducció assistida ja iniciat per a la transferència de preembrions constituïts amb anterioritat a la mort; c) Es limita a un sol cas i d) S'ha de practicar en el termini de 270 dies a partir de la mort de l'home, prorrogables per 90 dies per causa justa (arts. 9 LTRA i 235-8 i 235-13 CCCat).

La determinació de la filiació, en aquests casos, té lloc amb la presentació del document en el qual consta la voluntat de l'home mort, adjuntant l'informe del Centre mèdic en el qual es manifesti que la fecundació s'ha dut a terme amb cèl·lules d'aquell. Quan la filiació sigui no matrimonial, el consentiment serveix com a títol per iniciar l'expedient registral.

6. ACCIONS DE FILIACIÓ

La determinació judicial té lloc mitjançant sentència ferma derivada d'un procés civil o penal. En el procés civil és conseqüència de l'exercici de l'acció de filiació. Les accions de filiació són de dos tipus:

1. De reclamació (arts. 235-20 i 235-21 CCCat): persegueix que es declari una determinada filiació de filiació (determinació positiva).

2. De impugnació (art. 235-23 a 235-29 CCCat) que s'elimini la constància oficial d'una concreta filiació. Es distingeix: a) Les accions d'impugnació en sentit estricte basades en la manca de correspondència entre la filiació oficial i la real (la veritat biològica) i b) Les d'impugnació del reconeixement, fundades en un defecte o anomalia en el títol de determinació.

El de filiació és un procés especial (arts. 748-755 i 764-768 LEC) en el qual sempre és part el ministeri fiscal (art. 749 LEC). Les regles processals (de la LEC) s'apliquen en el que afecta al tipus de procediment i el seu desenvolupament, no obstant, en el dret català tenen preferència les previsions del Codi Civil de Catalunya.

Les accions de filiació són personals: únicament poden actuar els que estan legitimats; no obstant no són accions personalíssimes ja que es possible que s'exercitin pels representants legals dels legitimats; són indisponibles, irrenunciables i no poden ser objecte d'aquietament, transacció ni arbitratge; i són imprescriptibles, si bé estan sotmeses a termini de caducitat.

Són disposicions comunes a totes les accions:

1.– El principi de lliure investigació de la paternitat i la maternitat: conseqüència del mandat constitucional (arts. 39. 2 i 10 CE). En els judicis sobre filiació és admissible la investigació de la paternitat i la maternitat mitjançant tota mena de proves (art. 767. 2 LEC).

2.– Mitjans de prova: en els processos de filiació s'admeten tota classe de proves, incloses les biològiques, tant les directes com les indirectes i entre ells cap té preeminència sobre els altres (art. 767 3. LEC). La negativa injustificada a sotmetre a la prova biològica no impedeix que el tribunal pugui declarar la filiació sempre que hi hagi altres indicis i la prova d'aquesta no s'hagi obtingut per altres mitjans (art. 767 4. LEC).

La llibertat probatòria es limita al supòsit de la fecundació assistida heteròloga que per si no pot actuar com a prova en la qual fonamentar l'exercici de l'acció d'impugnació si la causa al·legada és la fecundació assistida a la qual l'home ha prestat el consentiment en la forma legalment prevista (arts. 8 LTRA; 235-15.2 i 235-28.2 CCCat).

3.– Exercici de l'acció: a l'exercici de l'acció no cal la presentació de cap principi de prova (art. 235-15.1 CCCat). Quan correspon a un menor d'edat o a persona amb la capacitat modificada judicialment la poden exercir el seu representant legal o el ministeri fiscal, indistintament (art. 765. 1 LEC). En tots els processos, a la mort de l'actor, els seus hereus poden continuar les accions que s'hagin entaulat (art. 765. 2 LEC).

4.– Efectes de la cosa jutjada material de la determinació de la filiació (arts. 764 2. LEC; 235-19.2 CCCat): Els tribunals han de rebutjar l'admissió a tràmit de qualsevol demanda d'impugnació de la filiació declarada per sentència ferma, o la determinació d'una filiació contradictòria amb una altra establerta per sentència ferma.

5.– Principi d'incompatibilitat entre filiacions contradictòries (arts. 235-19.1 CCCat): no es pot determinar una filiació mentre consti oficialment una altra, de manera que per a l'eficàcia de la contradictòria que es pretengui cal impugnar, mitjançant l'exercici d'una acció de filiació, aquella. S'obliga, així doncs, a exercitar una acció de reclamació a la qual s'acumula la pretensió d'impugnació, com a mitjà necessari per evitar la seva ineficàcia (art. 235-22 CCCat).

6.– Participació en el procés: En els processos de filiació s'ha d'assegurar que les persones entre les que es produeix la relació de generació, participen en el mateix i pugin intervenir. Tot aquell que no actuï en el procés com legitimat actiu ha de ser demandat; en cas en què hagi mort l'acció pot dirigir-se contra els hereus dels legitimats (arts. 766 LEC i 235-16. 1 i 2 CC-Cat). El Lletrat de l'administració de justícia pot nomenar un defensor judicial si el fill ha d'intervenir per mitjà d'un representant legal i ho justifica el seu interès (art. 235-16.3 CCCat)

7.– Mesures cautelars en el procés de filiació. Mentre dura el procés de reclamació o impugnació de la filiació l'autoritat judicial pot adoptar, d'ofici o a instància de part, mesures de protecció de la persona i dels béns del fill menor o incapacitat. En el cas de reclamació es poden acordar aliments provisionals a favor del fill i amb càrrec al progenitor demandat (art. 768 LEC, 235-17 CCCat).

8.– *L'exceptio plurium concubentium*: és l'excepció al·legada pel demandat, al qual es reclama la paternitat, amb l'objecte d'evitar la declaració de paternitat, per introduir un element de dubte, en la qual s'indica que la dona va mantenir relacions sexuals amb més d'una persona, a més d'ell en el període de concepció (art. 235-10.1 a CCCat) Els efectes de l'al·legació:

a) En el procés de filiació: no paralitza l'acció contra el demandat; al contrari, es pot cridar, a petició de la part legitimada per exercitar l'acció, a tots els que es diuen van mantenir relacions amb la mare, perquè intervinguin en el procés en qualitat de demandats, per als que s'estén la presumpció de paternitat. A la filiació matrimonial, la invocació de l'excepció provoca que coexisteixin la presumpció de paternitat matrimonial i la de paternitat no matrimonial (art. 235-18. 1 i 2 CCCat).

b) En la declaració de paternitat: la *exceptio*, no és suficient per a destruir la presumpció de paternitat (art. 235-18.1 CCCat) del demandat. S'ha de declarar la paternitat de qui versemblantment resulti més probable (art. 235-18.3 CCCat). En el procés en el qual el demandat va al·legar l'excepció pot resultar de les altres proves la seva paternitat o la no paternitat. N'hi ha prou que d'aquelles es segueixi el més alt grau de probabilitat perquè pugui declarar-se la paternitat.

7. LES ACCIONS DE RECLAMACIÓ

La finalitat de l'acció de reclamació és obtenir la determinació, via judicial, d'una filiació que no constava.

7.1. Reclamació de la filiació matrimonial

La acció de reclamació pretén la determinació de la paternitat, de la maternitat, separadament, i d'ambdues quan no constin, i la declaració de ser matrimonial la filiació. En ella s'ha de provar que hi van haver, dins el període de concepció legal relacions sexuals entre els progenitors, la vigència de les presumpcions de paternitat marital; o que, tot i el desconeixement de la paternitat és atribuïble al marit de la mare (art. 235-20 CCCat).

El pare, la mare i els fills, per si mateixos o mitjançant llurs representants legals poden exercir l'acció de reclamació de la filiació matrimonial durant tota la vida. L'acció interposada pels fills pot ésser continuada per llurs descendents o hereus.

Els descendents o els hereus dels fills poden exercir l'acció de reclamació de la filiació matrimonial, dins el temps que resti per a completar el termini de 2 anys comptadors des del descobriment de les proves en les quals es fonamenta la reclamació.

Si quan el fill mor no han transcorregut 4 anys des de l'assoliment de la majoria d'edat o des de la recuperació de la plena capacitat, els descendents o els hereus del fill poden exercir o continuar l'acció de reclamació de la filiació matrimonial, dins el temps que resti per a completar aquest termini, si és superior al de 2 anys esmentats.

7.2. Reclamació de la filiació no matrimonial

Els fills per ells mateixos o per mitjà dels representants legal poden exercir l'acció de reclamació de la filiació no matrimonial durant tota la vida. Els descendents o els hereus dels fills poden exercir l'acció de reclamació de la filiació matrimonial, dins el temps que resti per a completar el termini de 2 anys comptadors des del descobriment de les proves en les quals es fonamenta la reclamació.

Si quan el fill mor no han transcorregut 4 anys des de l'assoliment de la majoria d'edat o des de la recuperació de la plena capacitat, els descendents o els hereus del fill poden exercir o continuar l'acció de reclamació de la filiació matrimonial, dins el temps que resti per a completar aquest termini, si és superior al de 2 anys esmentats.

El pare i la mare poden exercir, durant tota la vida, l'acció de reclamació de paternitat o maternitat no matrimonial, en nom i interès propis, si no poden reconèixer els fills o si el reconeixement no ha estat eficaç per manca de consentiment dels fills o d'aprovació judicial.

El resultat de l'acció de reclamació, en aquest cas, comporta exclusivament la declaració judicial de l'existència de la filiació (paternitat/maternitat) i la determinació de la filiació, es limiten els efectes. No obstant, l'eficàcia és plena si es prova la raó que justifica el retard en el reconeixement (arts. 235-21 i 235-12 CCCat).

7.3. Reclamació amb pretensió d'impugnació

Quan una filiació ja està determinada no és possible fixar una altra que la contradigui (art. 235-19.1 CCCat), d'aquí que quan s'exercita l'acció de reclamació, sigui obligat impugnar la filiació de la contradictòria què consta, raó per la qual s'ha d'acumular a l'acció de reclamació la d'impugnació. L'acumulació només té un límit: si la filiació contradictòria es va determinar per sentència, l'efecte de cosa jutjada, veda l'exercici de l'acció.

Aquesta acció que, alguna doctrina, va denominar acció mixta, de reclamació/impugnació en veritat, no és més que una acumulació especial de pretensions, en la qual la pretensió d'impugnació és necessàriament accessòria a la de reclamació, pel que es regeix per les regles d'aquesta (art. 235-22 CCCat). De l'exercici d'aquesta acció acumulada es deriva que si la pretensió d'impugnació prospera queda oberta la via per entrar a la reclamació pretesa; la filiació que constava oficialment decau i se substitueix pel que resulti. Quan la pretensió d'impugnació no prospera queda vedada l'acció de reclamació. En el supòsit en què la reclamació no prosperi no procedeix la impugnació, excepte en el cas que el demandant tingui legitimació pròpia per impugnar i l'acció no hagi caducat.

8. LES ACCIONS D'IMPUGNACIÓ

En l'acció d'impugnació es pretén obtenir una sentència en la qual es declari o que la filiació que consta no és veraç (impugnació en sentit estricte) o l'anul·lació del títol que va servir per fixar-(impugnació del reconeixement).

Hi ha una regla que només afecta la impugnació de la paternitat matrimonial i no matrimonial, amb la finalitat de garantir el principi de veracitat i la protecció del fill la paternitat del qual es discuteix (art. 235-28 CCCat) referida als resultats de la actuació probatòria: en el procés s'ha de provar que no és possible que qui consti com progenitor ho sigui. Es pretén evitar que el dubte s'erigeixi en una determinació negativa de la paternitat; al que afegeix que, en els casos de fecundació assistida quan s'han complert els requisits legals, l'acció no pot fonamentar-se en exclusiva en ella (arts. 235-28 CCCat i 5 i 8 LTRA).

8.1. Impugnació de la maternitat

L'acció és única per la filiació matrimonial i no matrimonial.

Els fills, per ells mateixos o per mitjà dels seus representants legals, poden exercir l'acció d'impugnació de la maternitat durant tota la vida si proven la suposició de part o que no és certa la identitat del fill.

També la mare la pot exercir en el termini de 2 anys des del coneixement de les proves que fonamenten la impugnació. Si aquesta mor després d'haver interposat l'acció o abans dels 2s anys del descobriment de les proves l'acció es transmet als fills o descendents i als seus hereus i qualsevol d'ells pot exercir l'acció, dins el temps que resti per a completar els dits terminis. Però si la mare mor sense conèixer les proves en què ha de fonamentar l'acció, els 2 anys es compten des de la data en què la persona legitimada per a impugnar la maternitat les coneix (art. 235-29 CCCat).

Diferent d'aquesta acció és la d'impugnació del reconeixement de la maternitat que es regeix per les regles de l'article 235-27 CCCat.

8.2. Impugnació de la paternitat

Les accions d'impugnació de la paternitat es dirigeixen a eliminar la constància de la paternitat del marit. S'ha de demostrar bé que no regia la presumpció de paternitat marital, bé que, encara que el naixement hagués tingut lloc mentre era aplicable el fill nascut no pot atribuir-se al marit.

a) *Impugnació pel marit* (art. 235-23 CCCat). La acció no és personalíssima del marit, sinó personal; però, tant la transmissió de l'acció com la legitimació restringida tenen lloc quan el marit ha mort així que ningú aliè a la relació de filiació està legitimat.

La legitimació pròpia correspon al marit qui pot exercitar-la en el termini de 2 anys a comptar des del moment que conegui el naixement o del descobriment de les proves en què fonamenti la impugnació.

L'acció d'impugnació es transmet als fills o descendents i als hereus del marit si aquest mor després d'haver interposat l'acció o abans que fineixin els 2 anys del descobriment de les proves. En aquests casos, qualsevol d'ells pot exercir l'acció, dins el temps que resti per a completar els dits terminis.

Els fills, descendents i els hereus del marit si aquest mor sense conèixer el naixement o les proves en què ha de fonamentar l'acció, poden exercir l'acció em el termini de 2 anys que es compta des de la data en què els conegui la persona legitimada per a impugnar.

Directament l'autèntic progenitor (pare no matrimonial) no pot exercir aquesta acció si només impugna la paternitat matrimonial; en canvi, sí que pot quan la impugnació és un mitjà necessari per reclamar la determinació de la seva paternitat (art. 235-22 CCCat).

b) *Impugnació de la paternitat matrimonial per la mare* (235-24 CCCat). Es distingeixen dues situacions:

– Impugnació de la mare en nom propi: és personalíssima i pot exercitar-se durant els 2 anys següents a la data del naixement o durant els 2 anys posteriors al descobriment de proves de les quals resulta la no paternitat.

– Impugnació en interès del fill. Cal que la mare tingui la representació legal del fill. Pot actuar durant els 2 anys següents a la data del naixement o posteriors al descobriment de les proves de les que se segueix la no paternitat. L'acció té caràcter personalíssim doncs no es dóna entrada a qualsevol representant del menor o incapaç, sinó només a la mare.

c) *Impugnació de la paternitat pel fill* (art. 235-25 CCCat). El fill pot exercir l'acció d'impugnació de la paternitat matrimonial dins dels 2 anys següents a l'assoliment de la majoria d'edat, a la recuperació de la plena capacitat o al descobriment de les proves en què fonamenta la impugnació.

No es preveu la successió ni la transmissió de l'acció, atès el caràcter personalíssim s'ha d'entendre que no són possibles.

8.3. Impugnació de la paternitat no matrimonial

El pare, la mare i els fills per ells mateixos o per mitjà de llur representant legal poden exercir l'acció d'impugnació de la paternitat no matrimonial en el termini de 2 anys a partir de l'establiment d'aquesta paternitat o des del moment en què es conegui aquest establiment o des de l'aparició de noves proves contràries a la paternitat.

Quan l'exercita el fill, l'acció caduca al cap de 2 anys de l'assoliment de la majoria d'edat, de la recuperació de la plena capacitat o de l'aparició de les noves proves contràries a la paternitat. Durant la minoria d'edat o la incapacitat del fill l'acció la pot exercir la mare (art. 235-26 CCCat).

8.4. L'acció d'impugnació del reconeixement

L'acció d'impugnació del reconeixement sigui per vicis, sigui per causa d'invalidesa és específica, la finalitat és destruir el títol de determinació sense qüestionar la veracitat de la relació de filiació. En el seu exercici s'han de provar algun dels vicis i, si escau que l'acte jurídic de reconeixement va ser invàlid. Aquestes accions d'impugnació del reconeixement-ment es prediquen dels reconeixements formals, dels no formals i tàcits i de tots els casos en què intervé en consentiment per determinar la filiació (art. 235-27 CCCat).

La impugnació per vicis només procedeix en cas d'error, violència i intimidació (art. 235-27.1 CCCat). El reconeixement és erroni quan qui l'efectua creu ser el progenitor sense ser-ho, bé perquè ignora la falta de veracitat, bé perquè ha estat induït maliciosament. La violència existeix quan s'ha emprat una força irresistible, en qui reconeix, lesionant la seva llibertat (art. 1267 CC). La intimidació causa a qui reconeix, un temor racional i fundat de patir un mal imminent i greu que només pot evitar emetent la declaració de reconeixement (art. 1267 CC). El dol és l'artifici maliciós que causa error en a qui s'infringeix (art. 1269 CC)

L'acció d'impugnació del reconeixement per vici correspon a qui l'ha atorgat i als seus representants legals i te una durada de 2 anys que es compten, en cas d'error des de l'atorgament del reconeixement i en els altres des que cessa el vici. Els fills, els descendents i els hereus de l'atorgant poden continuar l'acció de nul·litat, o exercir-la, si l'atorgant mor abans que hagin transcorregut els 2 anys, durant el temps que resti per a completar aquest termini.

L'acció d'impugnació del reconeixement de la paternitat fet sense capacitat correspon a qui l'ha atorgat i als seus representants legals i caduca al cap de 2 anys de l'arribada a la majoria d'edat o de la recuperació de la capacitat.

El reconeixement de la paternitat fet en frau de llei és nul. L'acció de nul·litat és imprescriptible i pot ésser exercida pel ministeri fiscal o per qualsevol altra persona amb un interès directe i legítim (art. 235.27 CCCat).

Lliçó 4
LA FILIACIÓ (II). L'ADOPCIÓ

Mª del Carmen Gete-Alonso y Calera

1. L'ADOPCIÓ: CONCEPTE I CARACTERITZACIÓ

L'adopció és una classe de filiació, l'adoptiva (235-1 CCCat) la característica de la qual radica en que es prescindeix de la dada biològica i genètica i que es constitueix a través de l'expedient corresponent, complint els requisits que estableix la llei.

La normativa de l'adopció respon a dos principis bàsics el d'interès prevalent del menor (arts. 235-39 i 235-44.2 b CCCat) i la finalitat de creació d'un *status familiae* per l'adoptat.

En l'actualitat, tenen una important intervenció en tot el procés d'adopció els organismes de l'Administració encarregats de les funcions de protecció i guarda de menors. A Catalunya l'organisme administratiu competent en matèria d'adopció és l'Institut Català de l'Adopció (ICA), integrat en el Departament de Benestar Social i Família.

2. SUBJECTES

Subjectes són les persones entre les que es pot arribar a establir la relació: adoptat i adoptant/s. S'ha de tenir en compte que en el procediment poden concorre, en alguns casos, altres persones, determinades institucions de l'Administració i el Ministeri Fiscal.

2.1. Capacitat per adoptar

Per adoptar es requereix, en general, tenir capacitat d'obrar plena i no estar incapacitat (art. 235-30 CCCat). L'anterior exclou totes les persones la capacitat de les quals hagi estat modificada judicialment, total o parcialment (art. 760 LEC). Tampoc, els menors d'edat poden adoptar per tenir limitada la seva capacitat i exigir-se una concreta edat. A més es requereix:

1. Que l'adoptant sigui major de 25 anys, el que suposa una capacitat especial. En l'adopció conjunta, però, n'hi ha prou que un dels adoptants hagi complert 25 anys (art. 235-30.2 CC-Cat). No s'exigeix una edat determinada quan s'adopta el fill del cònjuge o de la parella o als parents orfes (art. 235-30.1 b CCCat).

2. Que hi hagi una diferència d'edat entre adoptant i adoptat: l'adoptant ha de tenir 14 anys més que l'adoptat (art. 235-30.1 CCCat).

No es pot constituir quan concorri una prohibició per adoptar mentre romangui la situació que es configura com a fet impeditiu de la mateixa.

La prohibició és absoluta per a tot possible adoptant que hagi estat privat de la funció parental o remogut d'un càrrec tutelar mentre estiguin en aquesta situació. Hi ha d'haver sentència de privació de la potestat i la remoció del càrrec. (Art. 235-31.1 CCCat).

La prohibició és relativa i temporal a la pretesa adopció del tutor respecte el pupil fins que no hagi estat aprovat el compte final de la tutela (art. 235-32.1 c) CCCat).

2.2. Els que poden ser adoptats

És regla general que només es pot adoptar els menors d'edat no emancipats que es trobin en alguna de les situacions que enuncia la norma (art. 235-32 CCCat). Però no tots els menors d'edat poden ser adoptats i segons la norma es no pot adoptar: als propis descendents, als germans i als parents en segon grau de la línia col·lateral per consanguinitat i per afinitat (mentre dura el matrimoni que dóna origen a la mateixa) (art. 235-31.2 CCCat).

Només es pot adoptar a un menor d'edat desemparat i que es troba en situació d'acolliment preadoptiu (art. 235-32.1 CCCat). També es pot adoptar el menor que estigui en alguna d'aquestes situacions:

1. Que sigui fill del cònjuge o de la persona amb qui l'adoptant conviu en parella estable. En aquests casos, es requereix que la filiació no estigui determinada legalment respecte a l'altre progenitor, o que aquest hagi mort, estigui privat de la potestat, estigui sotmès a una causa de privació de la potestat o hi hagi donat l'assentiment.

2. Els orfes que són parents de l'adoptant fins al quart grau de consanguinitat o afinitat.

3. Les persones tutelades per qui vol adoptar, un cop aprovat el compte final de la tutela.

4. Per excepció es poden adoptar els menors desemparats que estiguin en acolliment simple dels què volen adoptar, si les circumstàncies han canviat i ja no és possible el retorn dels menors a la seva família, perquè es produeix alguna de les circumstàncies de l'acolliment preadoptiu o d'altres que en fan impossible el retorn. És una situació que es pot qualificar com d'acolliment simple qualificat. Cal tenir en compte que no tot desemparament del menor pot donar lloc a la constitució de l'acolliment preadoptiu (arts. 235-34 CCCat).

Només es pot adoptar una persona major d'edat o una persona emancipada si ha conviscut ininterrompudament amb l'adoptant des d'abans d'haver complert 14 o si ha estat en situació d'acolliment preadoptiu, almenys durant els 6 mesos immediatament anteriors a l'assoliment de la majoria d'edat o a l'emancipació, i hi ha continuat convivint sense interrupció. (art. 235-33 CCCat).

2.3. Adopció conjunta i adopció successiva

L'adopció efectuada simultàniament per més d'una persona, adopció conjunta, d'un mateix adoptant només s'admet en el cas que els adoptants siguin cònjuges o parella que convisqui maritalment amb caràcter estable (art 235-30. 2 CCCat). L'adopció conjunta no s'ha de confondre amb l'adopció que fa el cònjuge o parella del fill de l'altre, que és una adopció individual.

Pel que fa a l'adopció successiva s'ha de tenir en compte que una persona només pot ser adoptada una vegada, les possibles vicissituds en relació als pares adoptius que pugin produir-se entre adoptats i adoptat es resolen aplicant les regles que corresponguin (de la relació parental, de la potestat, la tutela..., etc).

No obstant el que s'ha dit, atès el caràcter d'aquesta relació, per a determinades situacions que es perceben perjudicials, es disposen regles particulars per tal que la persona adoptada pugui tornar a ser adoptada per una altra o altres persones. És el que succeeix en el cas de la mort de l'adoptant durant el procés d'adopció que no s'ha culminat i en el qual no s'ha prestat encara el consentiment (art. 235-32.4 CCCat) en què cal l'adopció per una altra persona diferent. En canvi, si la mort de l'adoptant passa quan ja s'ha finalitzat el procés d'adopció si ha donat el consentiment en forma llavors no és possible una nova adopció, es constitueix aquesta i s'apliquen les regles pertinents (art. 235-32.3 CCCat).

3. CONSTITUCIÓ DE L'ADOPCIÓ

L'adopció es constitueix mitjançant resolució judicial motivada, seguint les regles corresponents (arts. 235-39 a 235-46 CCCat) i les de la LEC (art. 781 LEC, i arts. 33 a 42 LJV).

És un expedient de jurisdicció voluntària i en ell intervé, a part de l'adoptant i adoptat i l'entitat pública, el Ministeri Fiscal (art. 3.7 EOMF). És competent el jutjat de primera instància que correspongui a la seu de l'entitat pública i, en el seu defecte el del domicili de l'adoptant (art. 33 LJV). El criteri que presideix la decisió de constitució de l'adopció és l'interès de l'adoptand (arts. 235-39 CCCat).

Les normes civils regulen els aspectes substantius de la constitució, per a la fase administrativa prèvia s'ha de tenir en compte la normativa administrativa sobre protecció de menors i adopció i la Llei 14/2010, de 27 de maig dels drets i els oportunitats a la infància i l 'adolescència.

Requisit addicional dels adoptants no familiars és que comptin amb la declaració favorable de la seva idoneïtat per a l'exercici de la potestat parental que s'efectua a través d'un procediment administratiu previ que valora les condicions personals, socials, familiars, econòmiques dels adoptants i la seva aptitud educadora; els requisits exigits no poden contradir les regles de capacitat de les lleis civils.

3.1. Adopció a proposta de l'organisme competent

Per iniciar l'expedient és necessària la proposta prèvia de l'entitat pública a favor de l'adoptant que hagi estat declarat idoni (art. 235-38 CCCat). En la proposta cal que s'expressin, especialment (art. 35 LJV):

a) Les condicions personals, familiars i socials i mitjans de vida de l'adoptant o adoptants seleccionats i les seves relacions amb el adoptant, amb detall de les raons que justifiquin l'elecció.

b) Quan hagin de prestar el seu assentiment o ser escoltats, l'últim domicili conegut del cònjuge de l'adoptant o de la seva parella estable o la dels progenitors, tutor, família acollidora o guardadors de la persona a la que s'adopta.

c) Si uns i altres han formulat el seu consentiment davant l'entitat pública o en document públic.

3.2. Adopció a proposta del o dels adoptants

No és necessària la proposta prèvia de cap entitat pública en els supòsits en què pot iniciar el procediment l'adoptant, mitjançant sol·licitud per escrit, adreçada al jutge (art. 34.3 LJV).

L'adoptant pot iniciar l'expedient (art. 235-32. 1 a, b, c i 235-33 CCCat):

1. En l'adopció de parents de l'adoptant que siguin orfes i en quart grau de consanguinitat o afinitat.

2. Quan s'adopta al fill de l'altre membre de la parella o sota la tutela de l'adoptant.

3. Quan s'adopta a un major d'edat o un menor emancipat.

La sol·licitud ha d'expressar les mateixes condicions que s'exigeixen en la sol·licitud que fa la entitat i s'han d'aportar les proves que demostrin que en la persona que s'adopta concorren les circumstàncies exigides en la legislació (art. 35.3 LJV).

3.3. Consentiments, assentiments i audiències

En tot expedient d'adopció és obligada la presència del o els adoptants i l'adoptat i de les persones que resulten afectades per la mateixa. Es distingeix entre:

Consentiment. El consentiment és imprescindible, han de prestar-lo, sempre, en presència del Jutge, qui adopta i l'adoptat major de 12 anys (art. 235-40 CCCat, 36 LJV). És ineludible i no es pot substituir.

Assentiment: és requisit d'efectivitat per constituir l'adopció, s'ha de procurar que es doni i s'han de citar les persones a qui correspongui donar-lo. No cal citar-les si l'assentiment s'ha prestat en document públic o davant l'entitat. Caduca si quan es presenta la sol·licitud han transcorregut més de 6 mesos des que es va prestar. La capacitat per a prestar-lo és la d'entendre (capacitat natural). Han de ser citats per assentir (arts. 235-41 CCCat):

1. El cònjuge de l'adoptant o la persona que conviu amb ell en parella estable (que no adoptin). Es pot prescindir-ne quan hi ha separació legal o de fet (art. 235-41. 1 a) CCCat).

2. Els progenitors de l'adoptat (art. 235-41.1 b) CCCat), en aquest cas aquest assentiment: a) No pot referir-se a un adoptant determinat, llevat del cas, excepcional de concurrència d'una causa raonable que ho justifiqui (art. art. 235-4.3 CCCat) i b) La mare, no pot prestar-lo si no han transcorregut 6 setmanes del part (art. 235-41.2 CCCat).

Els pares de l'adoptant no poden prestar assentiment a l'adopció (si escau han de ser escoltats) (art. 235-41.1 b) CCCat) si estan sotmesos en una causa de privació de la funció parental o han estat privats de la mateixa; i quan el menor ha estat en acolliment preadoptiu i la resolució que l'ha acordat és ferma.

Els pares que pretenguin que es reconegui que el seu assentiment es necessari per a l'adopció han de posar-lo de manifest en l'expedient. El Lletrat de l'Administració de justicia ha de suspendre l'expedient i senyalarà termini de 15 dies perquè els pares presentin la demanda corresponent (arts. 37.2 LJV i 781 LEC).

Quan concorre causa de privació de la potestat en un o dos progenitors s'aprecia en el mateix procediment d'adopció mitjançant resolució motivada. En aquest cas se suspèn la tramitació de l'expedient, el jutge assabenta les persones que incorrin en una causa de privació dels efectes de la resolució i senyala el termini que consideri necessari, no inferior a 20 dies, perquè pugin comparèixer i al·legar el que estimin convenient en defensa del seu interès. Es segueixen el tràmits del judici verbal (art. 235-42 CCCat).

Audiències. L'audiència, sempre, és judicial; han de ser escoltats (arts. 177.3 CC, 235-43 CCCat):

a) Els pares que no hagin estat privats de la pàtria potestat, quan el seu assentiment no sigui necessari per a l'adopció;

b) El cònjuge separat de fet o judicialment;

c) El tutor i, si escau, guardador o guardadors;

d) El adoptant menor de 12 anys, si té seny suficient;

e) L'entitat pública, a fi d'apreciar la idoneïtat de l'adoptant;

f) Els fills del adoptant, si tenen prou coneixement i és possible;

g) Els fills de la persona o persones adoptants si conviuen i tenen prou coneixement.

3.4. Efectes de l'adopció

La filiació, sigui per naturalesa sigui per adopció produeix els mateixos efectes civils: la relació de parentiu, la funció parental, els cognoms i els drets successoris (adoptants i adoptats ocupen la mateixa posició que els pares i fills per naturalesa en els drets legitimaris i en la successió intestada). Les característiques d'aquesta filiació justifiquen que alguns es matisin i hagi altres efectes propis.

L'adopció causa parentiu entre la família i parents de l'adoptant i l'adoptat i els seus descendents, el que comporta l'extinció dels vincles de parentiu respecte de la família d'origen (arts. 235-47 CCCat) (és parentiu legal). No obstant, subsisteixen els vincles jurídics amb la família d'origen en els supòsits següents (art. 235-47.2 CCCat):

1. Quan s'adopta al fill de l'altre cònjuge o parella, el fill, no perd la seva filiació respecte del seu pare/mare d'origen (o de família anterior). Quan el progenitor ha mort es manté la relació de parentiu amb els ascendents (avis) del fill adoptat.

2. En l'adopció d'un parent dins del quart grau.

Els vincles parentals amb la família d'origen es mantenen només en els casos que estableix la llei i especialment amb relació a la capacitat per a contraure matrimoni (art. 47 CC); als efectes de la successió en els quals es mantenen els drets successoris i quan es tracta de l'adopció del fill del cònjuge o parella, pel que fa a la funció parental que manté l'altre progenitor. L'autoritat judicial, a proposta de l'entitat pública o del Ministeri Fiscal, pot disposar que es mantinguin les relacions personals entre l'adoptat i la família d'origen en l'adopció internacional, o quan hi hagi vincles afectius el trencament de les quals sigui greument perjudicial per al menor (art. 435-47.4 CCCat).

Conseqüència del parentiu és l'adquisició del veïnatge civil (art. 14 CC) i de la nacionalitat (art. 19 CC) dels adoptants, pel adoptat.

En l'adopció conjunta, de menors d'edat els cognoms es fixen com en la filiació per naturalesa; l'adoptat porta els cognoms dels adoptants en l'ordre que aquests acorden o, si no, el que estableix la llei. Si els adoptants són del mateix sexe i no tenen cap fill en comú ni han acordat l'ordre dels cognoms, l'autoritat judicial ho decideix dins el procediment d'adopció (art. 235-48.1 CCCat).

En l'adopció per una persona: l'adoptat porta els cognoms de l'adoptant, l'ordre pot invertir-se a petició de l'adoptant en el moment de l'adopció o de l'adoptat a partir de l'emancipació o majoria d'edat.

En l'adopció del fill de la parella o cònjuge: l'adoptat conserva els cognoms d'origen del pare o de la mare i adquireix el de l'adoptant. Pel que fa a l'ordre, ho estableixen de comú acord o el decideix el jutge dins el procediment d'adopció. Aquest progenitor i l'adoptant, de comú acord, poden sol·licitar que l'adoptat conservi els dos cognoms d'origen com un sol cognom units amb un guió i col·locat en primer lloc el del progenitor supervivent (art. 235-48 CCCat).

En l'adopció de majors d'edat o emancipats (art. 235-48.4 CCCat) aquests poden conservar els cognoms d'origen si així ho insten en el moment de l'adopció.

Pel que fa a les accions que li competeixen a la persona adoptada s'ha de distingir:

1. L'acció dirigida al coneixement de dades biogenètics dels pares biològics. En propietat, aquesta facultat no és una acció d'investigació ja que, en cap cas autoritza per donar coneixement de la identitat sinó només de determinades dades que poden afectar la salut de l'adoptat. Estan legitimats per a sol·licitar les dades els pares adoptius mentre l'adoptat és menor d'edat quan sigui necessari (art. 235-49.4 CCCat) i l'adoptat major d'edat o emancipat.

2. L'acció d'investigació dels progenitors biològics (art. 235-49.2 i 3 CCCat).

L'adoptat a partir de la seva majoria d'edat o emancipació, pot exercir accions que condueixin a esbrinar quins són el seu pare i mare biològics. En tot cas, la finalitat d'aquesta acció és purament la de recerca sense que el seu resultat afecti l'adopció, ni a la filiació constituïda per ella. Els adoptants estan obligats a informar el fill sobre l'adopció el més aviat possible i en tot cas a partir dels 12 llevat que aquesta informació sigui contrària a l'interès del menor (art. 235-50 CCCat).

Les administracions públiques tenen el deure de facilitar a l'adoptat les dades que tinguin sobre la seva filiació biològica i s'ha d'iniciar un procediment confidencial de mediació, previ a la revelació de les dades, en el qual tant l'adoptat com el pare i la mare biològics han de ser informats de les circumstàncies familiars i socials respectives i de l'actitud manifestada per l'altra part respecte de la possible trobada (art. 235-49.3 CCCat). Això es porta a terme sense detriment del deure de reserva de les actuacions (art. 235-49.5 CCCat).

El Decret 169/2015, de 21 de juliol, regula el procediment administratiu per facilitar el coneixement dels orígens biològics (DOGC núm 6919, de 23 de juliol de 2015).

En els casos de filiació adoptiva es farà constar aquesta filiació en el Registre civil, en el full personal de l'adoptat, d'acord amb la legislació aplicable, la resolució judicial o administrativa que constitueixi l'adopció. Aquesta inscripció resta sotmesa al règim de publicitat restringida que preveu la Llei (art. 44.6 LRC).

3.5. Extinció de l'adopció

L'adopció és una situació irrevocable (art. 235-51.1 CCCat) el que significa que no afecta la filiació adoptiva la determinació de la filiació que per naturalesa correspongui a l'adoptat, que té eficàcia per al període anterior a l'adopció. No obstant això, es possible que en l'expedient d'adopció no hagin intervingut els pares per naturalesa de l'adoptat degut a una causa que no se'ls pot imputar.

Per excepció, els pares que no han intervingut en l'expedient poden exercitar una acció per declarar extingida l'adopció en el termini dels dos anys següents a l'adopció (art. 235-51.2 CCCat). El jutge l'acorda si no perjudica greument el menor.

També té lloc l'extinció quan concorren les causes que la llei estableix per a la revisió de les sentències fermes.

Extingida la relació d'adopció es restableix la filiació per naturalesa, bé en favor dels dos pares bé, únicament, del progenitor que hagi exercit l'acció, però no és causa de pèrdua de la nacionalitat ni del veïnatge ni s'estén als efectes patrimonials anteriorment produïts.

Lliçó 5
LA POTESTAT PARENTAL

Mª del Carmen Gete-Alonso y Calera

1. LA POTESTAT PARENTAL

1.1. Concepte i caràcters

La potestat dels pares és el conjunt de poders, drets i deures atribuït als progenitors sobre els seus fills menors o incapacitats per garantir la seva protecció integral i procurar el lliure desenvolupament de la seva personalitat (arts. 10. 1 i 39.2 CE). De la potestat dels pares es prediquen una sèrie de caràcters:

1r. Es defineix com a funció (art. 236-2 CCCat), és a dir el poder (drets i obligacions) atribuït als titulars sobre el menor és un deure, no un dret subjectiu perquè l'interès tingut en compte és el del sotmès. La funció implica deure i responsabilitat, els pares són els responsables de la criança i formació del menor i estan obligats a assegurar, dins les seves possibilitats, les condicions de vida necessàries per al seu desenvolupament integral. En conseqüència, no poden renunciar, ni excusar-se de exercitar la potestat i la deixadesa de les seves funcions pot derivar en sanció. No obstant això, es possible que els pares es distribueixin entre ells l'exercici i quan la llei ho permet, que es deleguin, temporalment, alguna de les facultats.

2º. La potestat, en el seu conjunt es regeix pel principi del benefici del menor que s'insereix en el de l'interès general de la família en la qual està (art. 236-2 CCCat). L'interès del menor implica que en l'exercici de la funció s'ha de tenir en consideració el que objectivament sigui millor per a ell, que se li hagi d'informar i escoltar, abans de prendre les decisions que l'afectin, a partir dels 12 anys i abans si té prou coneixement (art. 211-6.1 i 2 CCCat).

3r. És una funció personalíssima (art. 236-2 CCCat). L'exercici és exclusiu i correspon únicament als que tinguin la titularitat de la potestat. Les delegacions afecten concretes facultats i són provisionals.

4t. Completesa: el contingut de la potestat abasta tots els àmbits, inclou tant el personal com el patrimonial i la representació del menor.

5è. Control judicial. El jutge, d'ofici i en qualsevol procediment pot adoptar totes les mesures que consideri oportunes, personals i patrimonials per protegir el menor i pot exigir que els pares prestin garantia, limitar les seves facultats i fins i tot nomenar un defensor judicial (art. 236-3 CCCat). En tot cas, a més, els fills, els pares que no tinguin l'exercici de la potestat, els parents del fill fins al quart grau de consanguinitat i segon d'afinitat i el Ministeri Fiscal poden sol·licitar del jutge l'adopció d'aquestes mesures (art. 236-3 CCCat).

1.2. Titularitat i exercici

El pare i la mare són titulars de la potestat sobre els seus fills menors d'edat no emancipats i, en el cas de la potestat prorrogada i rehabilitada sobre els seus fills majors de edat amb la capacitat modificada judicialment (art. 236-1 CCCat).

Perquè jurídicament existeixi potestat cal que la filiació estigui determinada legalment excepte en els casos en què s'exclogui d'entrada (arts. 235-2.2, 235-14 CCCat). L'adopció ha d'estar constituïda.

Com a regla, quan existeixen els dos progenitors tots dos exerceixen conjuntament la potestat sobre els fills i en inici han d'actuar a l'uníson en tots els actes relatius a la potestat (art. 236-8 CCCat). Però es possible l'exercici individual vàlid d'un d'ells:

a) Si s'actua amb el consentiment exprés o tàcit de l'altre.

b) Per actes que, d'acord amb l'ús social o les circumstàncies familiars, és normal que es facin per un sol dels pares.

c) En els actes realitzats en situacions d'urgent necessitat i

d) Per als actes d'administració ordinària dels béns en els que, respecte a tercers de bona fe es presumeix que un actua amb el consentiment de l'altre.

En els actes per als quals els pares necessiten d'autorització judicial sempre han d'actuar conjuntament (art. 236-8 CCCat).

Hi ha regles especials d'exercici, situacions en què es legitima l'exercici individual d'un sol dels pares en les que aquell a qui s'assigni ha d'informar a l'altre de manera immediata dels fets rellevants relatius a la cura del fill i al seu patrimoni, almenys cada tres mesos (art. 236-12 CCCat). Els supòsits es poden ordenar així:

a) Els progenitors poden acordar que un només d'ells exerceixi la potestat amb el consentiment de l'altre o que l'exerceixin ambdós distribuint les funcions. A aquests efectes es poden atorgar poders de caràcter general o especial, revocables en qualsevol moment (art. 236-9 CCCat).

b) Casos d'impossibilitat, absència o incapacitat d'un dels pares: la protestat l'exercita exclusivament l'altre progenitor (art. 236-10 CCCat). S'inclouen les situacions de caràcter permanent en què no es pot comptar amb l'altre, però són situacions fàctiques no jurídiques.

c) En els supòsits de desacords ocasionals del jutge, a instància del pare o de la mare, després de sentir-los i als fills majors de 12 anys i els menors que tinguin prou coneixement, pot atribuir totalment o parcialment l'exercici de la potestat separadament a un dels pares. Si els desacords són reiterats el jutge pot atribuir totalment o parcialment la potestat a un dels pares o distribuir entre ells les funcions de manera temporal, fins a un termini màxim de 2 anys (art. 236-13 CCCat).

Que els pares no convisquin repercuteix en l'exercici de la potestat, en aquests casos la potestat s'exerceix pel progenitor amb el qual conviu el fill (art. 236-11.6 CCCat) però no són homogènies les situacions:

– Viuen separats perquè mai han estat casats ni formen parella estable. Els pares exerciten la potestat conjuntament, però poden acordar l'exercici per un només d'ells o distribuir-se les funcions (arts. 236-8.1, 236-9 i 236-11.1 CCCat).

– Viuen separats per sentència judicial de nul·litat, separació o divorci: s'ha d'estar al que es disposi en ella.

S'han de tenir en compte les regles de l'art. 236-11 CCCat:

a) Els progenitors poden sotmetre a aprovació judicial dels acords sobre l'exercici del pla de parentalitat que hagin convingut.

b) Els acords de delegació o distribució, si no estan incorporats a un conveni regulador aprovat judicialment, s'han de formalitzar en escriptura pública i es poden revocar en qualsevol moment, notificant notarialment.

c) Si hi ha desacord sobre l'exercici de la potestat parental qualsevol dels progenitors pot sol·licitar a l'autoritat judicial que ha de decidir, escoltant prèviament als fills que tinguin 12 anys o menors que tinguin prou coneixement.

d) En tots els casos, la guarda s'exerceix pel que en cada moment tingui el menor amb si, ja perquè tingui assignada de fet o de dret la residència habitual, ja perquè el menor s'hi trobi en companyia a conseqüència del règim de comunicació i de relació establert (art. 236-11.5 CCCat).

e) El pare o mare que exerceixi la potestat llevat que el jutge hagi disposat una altra cosa, necessita el consentiment exprés o tàcit de l'altre per a decidir el tipus d'ensenyament, per variar el domicili del fill menor quan l'aparta del seu entorn habitual i per a fer despeses extraordinàries del seu patrimoni. S'entén tàcitament conferit el consentiment quan el progenitor no s'oposi sol·licitant la intervenció judicial, en el termini de 30 dies des que se li notifica als efectes que presti el seu consentiment (art. 236-11.6 CCCat).

El pare o mare que exerceixi la potestat llevat que el jutge hagi disposat una altra cosa, necessita el consentiment exprés o tàcit de l'altre per a decidir el tipus d'ensenyament, per variar el domicili del fill menor quan el part del seu entorn habitual i per fer despeses extraordinaris del seu patrimoni. S'entén tàcitament conferit el consentiment quan el progenitor no s'oposi sol·licitant la intervenció judicial, en el termini de 30 dies des que se li notifica als efectes que presti el seu consentiment (art. 236-11.6 CCCat).

El pare o la mare menors necessiten, per a exercir la potestat que els seus pares respectivament o si aquests manquen els tutors o curadors, els assisteixin (complementin la seva capacitat). S'exceptuen els supòsits en què el pare/mare estigui casat amb un major d'edat, o està emancipat, o s'ha emancipat i té 16 anys, en els quals exercita per si la potestat (236-16 CCCat).

En els casos de desacords entre el progenitor menor titular de la potestat i les persones que hagin de donar el seu assentiment o entre aquestes i en els d'impossibilitat de prestació de l'assistència és necessària autorització judicial.

El cònjuge o parella del progenitor, jurídicament no és més que un guardador de fet sotmès al règim d'aquesta institució, incomplet pel que fa a la situació descrita. El Codi de Catalunya, per donar solució als problemes més habituals que es plantegen en el dia a dia de la convivència ha regulat aquesta situació. El cònjuge o parella del progenitor que tingui la guarda del fill té dret (art. 236-14 CCCat):

a) A participar en la presa de decisions sobre els assumptes de la vida diària, tot i que en cas de desacord sempre preval el criteri del progenitor.

b) A prendre, per si les mesures necessàries per al benestar del fill en els supòsits de risc imminent per al menor, el que haurà d'informar sense demora el seu cònjuge o parella i l'altre progenitor.

A la mort d'un progenitor l'altre recupera la guarda quan el causant la tenia atribuïda de manera exclusiva. Però el jutge, previ informe del ministeri fiscal, pot atribuir excepcionalment la guarda i altres funcions parentals al cònjuge o parella estable del progenitor difunt si ho requereix l'interès del fill i si aquell ha conviscut amb el menor i s'ha donat audiència al menor i l'altre progenitor (art. 236-15. 1 i 2 CCCat).

En el cas de mort del progenitor, el seu cònjuge o parella estable, així mateix, quan no se li concedeixi la guarda, pot sol·licitar que se li atribueixi un règim de relació personal sempre que hagi conviscut amb el menor en els 2 últims anys (art. 236-15.3 CCCat).

2. CONTINGUT

És el conjunt de deures i facultats de la funció parental; abasta tres àmbits: el personal, el patrimonial i la representació legal.

1.– *Contingut personal*: la potestat s'ha d'exercir sempre en benefici dels fills, d'acord amb la seva personalitat, i comprèn els deures i facultats de (art. 236-17 CCCat):

  a) Tenir cura dels fills: assegurar el lliure i integral desenvolupament del fill, inclou el deure de proporcionar cures físiques; proveir les seves necessitats intel·lectuals; procurar les atencions afectives, i vigilar pels seus interessos.

  b) Tenir els fills en la seva companyia: la convivència de pares i fills en el mateix habitatge. La companyia no impedeix les separacions transitòries o provisionals per causes justificades. Mentre els fills convisquin amb els pares tenen el deure de contribuir equitativament, segons les seves possibilitats, a l'aixecament de les càrregues de la família (art. 236-22 CCCat).

  c) Alimentar els fills: els mitjans de subsistència indispensables per a l'existència i desenvolupament, té caràcter unilateral i entitat pròpia i separada de l'obligació legal d'aliments entre parents.

  d) Educar i proporcionar als fills una formació integral. Els pares tenen el deure d'educar els seus fills per procurar-los el ple desenvolupament de la seva personalitat.

Els fills i els progenitors, encara que aquells no estiguin en l'exercici de la potestat, tenen dret a relacionar-se, s'exceptuen el supòsit en què el fill hagi estat adoptat i els casos de menors desemparats quan la resolució judicial o administrativa estableixi una altra cosa. (art. 236-4. 1 CCCat). Aquest dret es predica respecte dels germans, els avis i altres persones properes als menors; a aquest efecte els pares han de facilitar el seu compliment, només poden impedir la relació quan hi hagi una causa justa (art. 236-4.2 CCCat). En el cas del menor desemparat és l'entitat pública competent la que determina com es realitzen aquestes relacions personals amb el menor, i qui les suspèn si convé a l'interès d'aquest (art. 236-5.2 CCCat).

Pares i fills s'han de respectar mútuament. Els fills han d'obeir als seus pares llevat que intentin imposar conductes indignes o delictives (art. 236-17 CCCat). Com a regla, si tenen prou seny els fills han de ser escoltats sempre abans d'adoptar decisions que els afectin (art. 211-6 CCCat).

Els pares poden corregir de manera proporcionada i raonable als fills, respectant la seva dignitat i sense imposar-los sancions humiliants o que atemptin als seus drets. Amb aquesta finalitat podran sol·licitar l'assistència i intervenció dels poders públics (art. 236-17.4 CCCat).

2.– *Contingut patrimonial*. Els fills són titulars dels béns que integren el seu patrimoni i els pertanyen aquells i tots els rendiments i fruits que produeixin, també els ingressos que obtinguin de l'activitat que desenvolupin i els dels béns i drets que se'n derivin. El contingut patrimonial de la potestat comprèn les facultats que s'atorguen als pares respecte a l'administració dels béns dels fills. Els pares tenen el deure d'administrar els béns dels fills amb diligència (art., 236-21 CCCat).

Determinats béns se sostreuen de l'administració dels titulars de la potestat i conformen patrimonis separats (art. 236-25 CCCat):

– Els béns adquirits pel fill per títol gratuït o lucratiu quan qui ha disposat ho hagi ordenat de manera expressa.

– Els adquirits per successió en què el pare, la mare o tots dos han estat justament desheretats o no han pogut heretar per indignitat.

– Els que el fill major de 16 anys adquireix amb la seva activitat productiva respecte dels quals pot actuar com emancipat.

Els titulars de la potestat necessiten de l'autorització judicial per a la realització dels actes que s'enuncien en l'art. 236-27 CCCat. Autorització que pot substituir-se pel consentiment exprés, que ha de constar en escriptura pública, del fill de 16 anys.

En l'exercici de l'administració els pares estan dispensats de fer inventari dels béns dels fills i responen dels danys i perjudicis produïts en els béns per dol o culpa pròpia. Els pares no tenen dret a remuneració però sí que poden rescabalar-se amb càrrec al patrimoni del menor dels danys i perjudicis que els hagi ocasionat l'administració, si no se'ls poden imputar al seu propi dol o culpa i el rescabalament no es pot obtenir per una altra via (art. 236-23 CCCat).

Els fills han de contribuir equitativament, segons les seves possibilitats, a l'aixecament de les càrregues familiars mentre convisquin (art. 236-22 CCCat).

Els progenitors poden destinar els fruits dels béns i els drets que administren a mantenir les despeses familiars en la part que correspongui.

Si hi ha béns i drets dels fills no administrats pels progenitors, la persona que els administra ha de lliurar als progenitors, o al progenitor que tingui l'exercici de la potestat parental, en la part que correspongui, els fruits i els rendiments dels béns i els drets afectats. Se n'exceptuen els fruits procedents de béns i drets atribuïts especialment a l'educació o la formació del fill, que només s'han de lliurar en la part sobrera o, si els progenitors no tenen altres mitjans, en la part que, segons l'equitat, l'autoritat judicial determini (art. 236-22 CCCat).

3.– *Representació*: els pares són els representants legals dels fills, el poder neix de la llei i supleix la manca de capacitat d'obrar dels menors. S'exceptuen d'aquesta representació (art. 236-18 CCCat):

– Els actes relatius als drets de la personalitat i a béns o serveis propis de l'edat, d'acord amb els usos socials, amb les lleis i amb les seves condicions de maduresa. I, en el cas de la potestat prorrogada o rehabilitada els que pugui fer per si d'acord amb la seva capacitat natural.

– Els actes en què hi hagi conflicte d'interessos entre els pares i el fill.

– Els actes dels béns exclosos de l'administració dels pares.

Per celebrar contractes que obliguin el fill a realitzar prestacions personals es requereix el previ consentiment d'aquest si tingués suficient judici (art. 236-19 CCCat), sense perjudici que el jutge d'ofici o a instància del propi fill, de qualsevol parent o del Ministeri Fiscal dicti les disposicions oportunes a fi d'apartar el menor d'un perill o d'evitar perjudicis (art. 236-3 CCCat).

En els assumptes en què hi hagi interès contraposat entre pares i fills no emancipats, la representació recau en aquell dels pares amb el qual no existeixi el conflicte i si és amb tots dos s'ha de nomenar un defensor judicial (art. 236-20 CCCat).

3. VICISSITUDS

Suspensió: és l'exclusió temporal d'un dels progenitors o de tots dos de l'exercici de tot o part del contingut. En general, afecta l'exercici de la potestat i cessada la causa es recupera; no obstant això, en determinats casos pot ser l'avantsala d'una privació de la potestat (en la situació de desemparament).

Poden distingir-se diverses situacions que comporten suspensió:

a) Exercici temporal de tot o part del contingut per un dels progenitors en exclusiva. Pot ser conseqüència dels pactes entre ells (arts. 236-9, 236-11.1 CCCat), dels supòsits d'impossibilitat, absència o incapacitat d'un (art. 236-10 CCCat). Així mateix en els desacords ja ocasionals, ja reiterats (art. 236-13 CCCat) i en els supòsits en què la sentència de separació, divorci o nul·litat així ho disposi.

b) Quan, davant la situació de desemparament del menor, l'entitat pública assumeix funcions tutelars (art. 228-3.2 CC-Cat). Aquesta suspensió no afecta l'obligació dels progenitors del deure d'assistència ni de l'obligació de prestar-los aliments en sentit ampli (art. 228-3.4 CCCat).

c) Pel que fa a les relacions personals entre els fills i els progenitors i els altres parents (avis, germans) i persones pròximes, l'autoritat judicial pot denegar o suspendre i variar les modalitats d'exercici, si aquells incompleixen els seus deures, la relació pot perjudicar l'interès del menor o si hi concorre una causa justa. Hi causa justa en els supòsits en què els fills pateixin abusos sexuals, maltractaments físics o psíquics, o són víctimes directes o indirectes de violència familiar o masclista (art. 236-5.1 CCCat).

2.– *La privació*: és l'exclusió dels pares de la titularitat i exercici per concórrer la causa prevista en la llei. La privació d'una banda té caràcter sancionador, reacció davant la gravetat del fet que la provoca i alhora és una mesura de salvaguarda de l'interès i protecció del fill davant la situació en què aquest es troba (art. 236-6 CCCat).

La causa de privació és l'incompliment greu o reiterat dels deures derivats de la potestat. Hi ha incompliment greu si el fill menor o incapacitat pateix abusos sexuals o maltractaments físics o psíquics, o si és víctima directa o indirecta de violència familiar o masclista.

En el cas del menor desemparat és causa de privació que els progenitors, sense un motiu suficient que ho justifiqui, no manifesten interès pel menor o incompleixen el règim de relacions personals durant 6 mesos.

El caràcter més permanent de la privació exigeix, sempre, un procediment i una resolució judicial que l'estableixi. La privació només pot declarar-se:

a) En sentència ferma, en procés civil ordinari que s'insti amb tal finalitat.

b) En una sentència penal quan el delicte porti aparellat la imposició d'aquesta pena (és la inhabilitació de la qual parla la norma penal).

c) En una sentència d'un procés matrimonial; són els procediments de nul·litat, separació i divorci.

Si la privació de la potestat afecta tots dos progenitors, el menor ha de ser sotmès a tutela. Si es sol·licita en la demanda, en el mateix procediment de privació de potestat parental es pot constituir la tutela ordinària, amb l'audiència prèvia de les persones legalment obligades a promoure'n la constitució.

Estan legitimades per a demanar la privació de la potestat parental els fills, l'altre progenitor, els parents del fill fins al quart grau per consanguinitat o segon per afinitat i el Ministeri Fiscal; en el cas dels menors desemparats, l'entitat pública competent.

La privació no eximeix els pares del deure d'assistir als seus fills menors ni de l'obligació d'alimentar.

Acaba quan cessada la causa que la va originar el jutge declara la seva recuperació, per al que ha de tenir en compte el benefici i interès del fill.

3.– *Extinció*: suposa el cessament definitiu per als seus titulars. No obstant això, si el fill és menor d'edat en el moment de l'extinció, s'ha de constituir la tutela ordinària. La potestat s'extingeix (art. 236-32 CCCat):

a) Per la mort o la declaració de mort del pare i de la mare o del fill. Ha de ser de tots dos pares ja que si només falta un passa a exercir-la el que sobrevisqui.

b) Per la declaració d'absència del pare i de la mare o del fill. Cal que es refereixi als dos.

c) Quan el fill és adoptat per una altra persona, excepte en el cas en què sigui adoptat pel cònjuge o la parella del pare/mare, supòsit en el qual aquests adquireixen potestat en situació conjunta amb el pare/mare.

d) Per la majoria d'edat o emancipació. En aquest cas els pares continuaran exercint funcions de protecció sobre el fill completant la seva capacitat en aquells actes per als que aquest requereix d'assistència.

Quan s'extingeix cessa l'administració dels béns del fill. El pare i la mare estan obligats a restituir el patrimoni al fill i han de retre comptes finals de la seva administració si el fill o el seu representant legal ho reclamen. Les despeses de restitució són a càrrec del patrimoni (art. 236-24 CCCat). Els pares responen per dol o culpa greu, dels danys i perjudicis soferts en cas de pèrdua o deteriorament dels béns dels seus fills (art. 236-23 CCCat). La rendició de comptes s'ha de fer en el termini de 6 mesos comptats des de la data de reclamació, termini que l'autoritat judicial pot prorrogar altres 3 mesos si concorre una causa justa. El termini de prescripció de l'acció és de 3 anys (art. 236-24 CCCat).

4. PRÒRROGA I REHABILITACIÓ DE LA POTESTAT

La rehabilitació i pròrroga de la potestat dels pares es vincula a la modificació judicial de la capacitat del fill. Amb la finalitat de procurar la millor i més efectiva protecció d'aquestes persones es preveu que els pares puguin exercir les funcions de tuïció sobre els seus fills malgrat que s'hagi extingit o s'hauria d'haver extingit la potestat.

La pròrroga comporta que els pares continuen en la potestat quan la capacitat del fill que va ser modificada judicialment durant la minoria d'edat, arriba a la majoria d'edat. La potestat, en aquest supòsit té el mateix contingut que l'ordinària però s'ha d'exercir ajustant-se a la sentència (art. 236-33 CCCat).

La potestat es rehabilita a favor del pare o de la mare o de tots dos si havien estat titulars de la mateixa, quan sigui modificada judicialment la capacitat del fill major d'edat o emancipat i no correspongui nomenar tutor a la persona que ell va designar voluntàriament, al seu cònjuge o parella estable o als seus descendents majors d'edat. Aquesta potestat té el mateix contingut que la potestat sobre el menor però s'ha d'acomodar al que estableixi la resolució judicial (art. 236-34 CCCat).

En tots dos supòsits pot succeir que el contingut de la potestat (prorrogada o rehabilitada) correspongui a una curatela, el que passarà quan la modificació de la capacitat del fill no sigui total sinó relativa o parcial. El jutge, però, atenent la situació personal i social del pare i de la mare, al grau de deficiència del fill i les seves relacions personals pot no acordar la pròrroga o rehabilitació de la potestat i ordenar la constitució de la tutela o de la curatela segons correspongui (art. 236-35 CCCat).

La potestat prorrogada o rehabilitada s'extingeix (art. 236-36 CCCat):

a) Per la mort o declaració de mort d'ambdós pares o del fill.

b) Per la declaració d'absència d'ambdós pares o del fill.

c) Quan el fill és adoptat, excepte en el cas en què sigui adoptat pel cònjuge o la parella del pare/mare, supòsit en el qual aquests adquireixen potestat en situació conjunta amb el pare/mare.

d) Perquè es constitueix posteriorment la tutela a favor del cònjuge o de la parella estable o dels descendents de l'incapacitat.

e) Pel matrimoni del declarat judicialment incapacitat amb persona major d'edat capaç.

f) A sol·licitud dels que exerceixen la potestat aprovada judicialment si la seva situació personal i social i el grau de deficiència del fill impedeixen l'adequat compliment de la seva funció.

Si en cessar la potestat prorrogada o rehabilitada subsisteix la incapacitació, s'ha de constituir la tutela o la curatela, segons correspongui (art. 236-36.2 CCCat).

EL MATRIMONI (I): REQUISITS

Mª del Carmen Gete-Alonso y Calera

1. EL MATRIMONI

El matrimoni és una de les figures jurídiques (institució) fonamental del Dret de Família, la configuració de la qual està tenyida per la concepció que es té del mateix en cada societat i moment històric i pels valors ètics, morals i polítics que pren en consideració el legislador quan la regula; el que comporta que el concepte i caracterització siguin, jurídicament, d'una part relatives, d'una altra, variables en el temps.

La relativitat del concepte de matrimoni està lligada a les dades en què es fonamenta la regulació; la norma jurídica, sempre *posterius* reflecteix el que ja existeix a la realitat i, en conseqüència, la societat d'un temps; i recull les apreciacions, principis i criteris més comuns o, generalitzats.

El model de matrimoni vigent és tributari d'una part de la Constitució de 1978 i les lleis de desenvolupament dictades i d'una altra de les reformes introduïdes en l'any 2005. A través de les primeres el matrimoni es configura com una institució civil, separada del model canònic o religiós (encara que es tingui en compte). En les lleis de 2005 s'acaba d'assentar d'acord amb les concepcions basades en els valors socials europeus i occidentals sobre la parella, com una institució jurídica que permet la realització de la vida en comú de dues persones amb independència de l'orientació sexual.

1.1. Concepte i caracterització

El matrimoni és un vincle jurídic entre dues persones que origina una comunitat de vida entre els cònjuges. Situació jurídica en què tots dos gaudeixen dels mateixos drets i deures i que els obliga a guardar-se lleialtat, ajudar-se i prestar-se mutu auxili (arts. 231-2 CCCat, 66 i 67 CC). El matrimoni jurídicament és:

– Una institució jurídica: El matrimoni-institució no és, de manera exclusiva, una figura estrictament privada sinó que transcendeix en tant que afecta la societat, té una vessant pública. Del caràcter públic se segueix la imperativitat (ius cogens) de les normes jurídiques que el regulen (constitució, formes de celebració, dissolució i efectes).

– Un negoci jurídic entre particulars: és l'acte jurídic que estableix un vincle de caràcter familiar generat del consentiment de dues persones que té com a finalitat l'establiment d'una çomunitat de vida entre ells. És un negoci bilateral, essencialment formal, fruit de l'autonomia i llibertat dels contraents (arts. 32 CE i 44 CC). La caracterització del matrimoni com a negoci jurídic ha propiciat que un sector de la doctrina consideri que és un contracte. En termes molt generals si s'identifica el contracte al negoci jurídic bilateral, com a acte d'autonomia privada, podria admetre aquesta qualificació. No obstant això, des d'una apreciació més tècnica, convé separar-lo del contracte ja que aquest és un negoci jurídic, com es coneix (art. 1254 CC) dirigit a regular interessos de caràcter patrimonial (econòmic), el que no succeeix en el matrimoni

– Una situació jurídica entre els consorts: l'efecte vinculació crea la relació jurídica conjugal entre les persones que roman mentre el matrimoni es manté. El matrimoni és una unió de caràcter permanent o indefinit, una situació estable, que no suposa indissolubilitat; és possible la dissolució del matrimoni en vida per divorci (art. 85 CC).

– Una unió en la qual, a diferència del model clàssic el sexe dels membres de la parella no és rellevant. És matrimoni la unió heterosexual i l'homosexual. "El matrimoni tindrà els mateixos requisits i efectes quan ambdós contraents siguin del mateix o de diferent sexe" (art. 44.2 CC). En conseqüència no hi ha dubte sobre la possibilitat de contraure matrimoni de la persona transsexual intervinguda o no quirúrgicament que obté la rectificació registral de la menció del sexe en el Registre Civil

(Llei 3/2007, de 15 de març, reguladora de la rectificació regis-
tral de la menció relativa al sexe de les persones) "la rectificació
registral permetrà a la persona exercir tots els drets inherents
a la seva nova condició" (art. 5.2.). No obstant això, la manca
d'informació a l'altra persona amb la qual es contreu matrimo-
ni sobre la circumstància de la transsexualitat sí que pot tenir
conseqüències jurídiques (als efectes de l'emissió i validesa del
consentiment matrimonial).

1.2. El *ius connubi*

El *ius connubi* és la traducció a l'àmbit del negoci jurídic matri-
monial del principi de llibertat. Es proclama a l'art. 32.1 de la CE en
el qual es disposa que l'home i la dona tenen dret a contreure matri-
moni amb plena igualtat jurídica, i que la llei regularà les formes del
matrimoni, l'edat, la capacitat per a contreure'l, els drets i deures dels
cònjuges, les causes de separació i dissolució i els seus efectes. D'aquí
es deriven les següents conseqüències:

a) El principi de llibertat nupcial suposa el dret de tota persona a
contraure matrimoni, limitat pel d'igualtat.

b) La regulació positiva del matrimoni s'ha de fer per llei (art. 53
CE). S'assigna a la legislació civil (no a la religiosa) contenir i
desenvolupar les regles relatives al matrimoni.

El principi del *ius connubi* es conté en la declaració de l'art. 44 CC
segons el qual "L'home i la dona tenen dret a contreure matrimoni
acord amb les disposicions d'aquest Codi".

Del *ius connubi* se segueix que: a) La delimitació legal de les dades
que identifiquen el negoci matrimonial: la comunitat de vida, el vincle
estable; b) Els elements de l'acte jurídic: consentiment i forma, i c) Els
requisits de capacitat matrimonial exigits en la llei positiva, no només
s'han d'establir sinó interpretar a la llum del principi de llibertat. De
manera que tota limitació o restricció que estigui en contradicció s'ha
de considerar inconstitucional.

Una aplicació concreta del *ius connubi* és, com s'estudia de seguida,
la ineficàcia dels esposalles o promesa de matrimoni (arts. 42, 43 CC),
l'obligació de contraure matrimoni i la seva imposició coactiva en cas
d'incompliment suposaria un atemptat frontal a la llibertat nupcial.

El principi de llibertat nupcial té reflex, també, en els negocis patrimonials tant en els que se celebrin per raó de matrimoni (capitulacions, donacions nupcials) com els que suposin l'atribució o extinció de drets i que tenen en compte la seva celebració.

2. LA PROMESA DE MATRIMONI

La promesa de matrimoni és l'acte jurídic mitjançant el qual les persones, que han de ser majors d'edat o estar emancipades, manifesten la seva voluntat seriosa ("promesa certa") de contraure matrimoni en un futur (art. 43 CC).

D'acord amb el principi de llibertat, la regla és que de la promesa de matrimoni no sorgeix cap obligació per a qui l'emet de contreure i tampoc està obligada a complir el que s'hagi estipulat per al supòsit de la seva no celebració (les clàusules penals). En conseqüència no hi ha acció judicial, no s'admetrà a tràmit la demanda en què es pretengui el compliment de la promesa (la celebració del matrimoni projectat) (art. 42 CC).

Tanmateix, la promesa de matrimoni pot haver provocat despeses i desemborsaments que els futurs contraents han fet en previsió de la celebració; despeses que esdevenen inútils si la promesa no cristal·litza en el matrimoni. Disposa l'art. 43 CC que l'incompliment sense causa de la promesa certa de matrimoni feta per persona major d'edat o per menor emancipat només produirà l'obligació de rescabalar l'altra part de les despeses fetes i les obligacions contretes en consideració al matrimoni promès i que aquesta acció caduca al cap d'un any comptat des del dia de la negativa a la celebració del matrimoni.

Aquesta acció és de reemborsament, no indemnitzatòria, ja que només es pot pretendre la recuperació de la despesa efectuada; subsidiària, opera quan no hi hagi un altre règim; abasta únicament despeses i obligacions efectuades en consideració al matrimoni, s'exclouen aquells que, d'igual manera, s'haguessin hagut d'efectuar, i l'incompliment de la promesa ha de ser injustificat.

3. CAPACITAT PER CONTRAURE MATRIMONI

En general, d'acord al principi de llibertat nupcial, les exigències legals concretes en cap cas poden establir un límit injustificat i han d'estar d'acord amb la caracterització jurídica del negoci. El matrimoni té els mateixos requisits siguin del mateix o de diferent sexe els contraents (art. 44.2 CC). Les regles específiques de capacitat (arts. 45, 46 i 47 CC) es refereixen a l'edat, al vincle matrimonial anterior, al parentiu i al delicte. Els requisits de l'edat i la subsistència del vincle són absoluts, impedeixen el matrimoni amb qualsevol persona; els del parentiu i el delicte són relatius, només veden el matrimoni entre les persones en els quals concorren.

a) L'edat: els menors d'edat no emancipats no poden contreure matrimoni (art. 46. 1r CC). Es requereix majoria d'edat o, si escau, l'emancipació (cf. arts. 211-7 CCCat i 323 CC). En l'actualitat ha desaparegut la possibilitat, recollida a la llei anterior, de dispensa d'edat que es preveia a partir dels catorze anys.

b) Vincle matrimonial subsistent: no poden contraure matrimoni (art. 46 2° CC) aquelles persones el matrimoni de les quals no s'hagi dissolt. El requisit obeeix a la configuració del matrimoni com a unió monogàmica. El Codi Penal tipifica com a delicte (matrimonis il·legals), castigat amb la pena de presó de sis mesos a un any, contreure segon o ulterior matrimoni sabent que subsisteix legalment l'anterior (art. 217 CPen).

Atesa la configuració formal i oficial del negoci matrimonial, per la dissolució del vincle matrimonial s'exigeix no només la causa (la mort, la declaració de mort i el divorci, art. 85 CC) sinó la acreditació de l'acte jurídic de dissolució: en el divorci i la declaració de mort s'ha d'esperar a la fermesa de la resolució corresponent. Si el matrimoni anterior era nul és necessari instar el procés judicial de nul·litat i que s'obtingui la sentència. El segon matrimoni contret subsistint l'anterior és sempre nul (art. 73 2° CC), no hi ha convalidació possible i tampoc dispensa de cap tipus.

c) El parentiu: no poden contraure matrimoni entre si els parents en la línia recta per consanguinitat i adopció (art. 47. 1° CC) i els col·laterals per consanguinitat fins al tercer grau (art. 47. 2° CC). El parentiu pot ser dispensat pel jutge (art. 48 CC).

d) El delicte: tampoc poden contraure matrimoni entre si els con-
demnats com a autors o còmplices de la mort dolosa del cònju-
ge o de la persona amb la qual hagués estat unida per anàloga
relació d'afectivitat de qualsevol d'ells (art. 47 3° CC).

Ha de: a) existir sentència penal ferma condemnatòria de qui pre-
tengui contreure matrimoni, com a autor o còmplice i b) per qualse-
vol dels delictes que, d'acord amb el Codi Penal comportin la mort
dolosa.

El jutge, a instància de part i amb una causa justa, pot dispensar el
parentiu de tercer grau entre col·laterals i la mort dolosa, prèviament
a la celebració del matrimoni, en expedient de jurisdicció voluntària
(art. 48 CC), la concessió permet la celebració vàlida. És competent
per a l'atorgament o denegació de la dispensa el jutge de primera
instància del domicili o de la residència de qualsevol dels contraents.
Aquest expedient de dispensa (arts. 81-84 LJV):

a) Es promou, sempre, a instància de la part en qui concorri
l'impediment i no requereix advocat ni procurador.

b) En la sol·licitud s'han d'expressar els motius particulars, fami-
liars o socials en què es basa. S'han d'adjuntar els documents i
antecedents que acreditin la causa de la dispensa. També, s'ha
de proposar la prova. A la de parentiu s'ha d'expressar amb
claredat el parentiu i acompanyar de l'arbre genealògic dels
contraents.

c) Admès a tràmit se cita als contraents i als que puguin estar inte-
ressats, als quals se'ls dóna audiència; en la dispensa de la mort
dolosa ha de citar-se al Ministeri Fiscal. En la compareixença es
practiquen les proves.

d) El jutge, resol, concedeix o denega la dispensa.

La dispensa ulterior convalida, des de la seva celebració, el ma-
trimoni la nul·litat del qual no s' hagi estat instat judicialment per
alguna de les parts (art. 48 3. CC).

4. EL CONSENTIMENT MATRIMONIAL

L'element fonamental, imprescindible, del negoci de matrimoni és
el consentiment: no hi ha matrimoni sense consentiment matrimonial

(art. 45 CC). Aquest consentiment es forma mitjançant la concurrència de les declaracions de voluntat dels contraents sobre el seu contingut (arts. 231-2 CCCat i 66 a 68 CC), ha de ser lliure, conscient i sense limitacions (arts. 45 2 i 73 CC).

El contingut del consentiment està prefixat de manera imperativa per la llei i es concreta en el conjunt de drets i deures entre els cònjuges que es defineixen en els arts. 231-2 CCCat i 66 a 68 CC. Atès el caràcter imperatiu les parts no poden eliminar ni modificar substancialment el mateix. És nul el matrimoni celebrat sense consentiment matrimonial (art. 73 1. ° CC).

El consentiment matrimonial ha de ser pur: la condició, terme o modo del consentiment matrimonial es té per no posat (art. 45.2 CC).

4.1. L'absència de consentiment

És nul el matrimoni celebrat sense consentiment matrimonial (art. 73 1°. CC). Falta consentiment en els casos en què no concorren les declaracions de voluntat o el consentiment matrimonial manifestat no coincideix amb l'autèntica voluntat ja de tots dos contraents, ja només d'un. En ambdós supòsits malgrat que no hi hagi consentiment, l'aparença material condueix a un matrimoni format irregularment i la nul·litat s'ha d'instar expressament.

Falta el consentiment:

1. En aquells casos en què la persona no té la capacitat d'entendre i voler (natural) en el moment de contraure matrimoni sigui quina sigui la causa (alcoholisme, toxicomania, malaltia psíquica o mental) i amb independència de si es tracta d'una situació habitual o transitòria. Tot i això, l'existència habitual d'anomalies psíquiques només es considera falta de consentiment quan es va contraure el matrimoni sense haver sol·licitat el dictamen del facultatiu que aquest ha d'exigir a l'expedient matrimonial.

2. Quan s'ha revocat o extingit el poder, abans de la celebració del matrimoni, en aquesta forma de matrimoni (art. 55 CC).

3. En els supòsits de discordança conscient entre la declaració i la voluntat que són la reserva mental i la simulació (art. 73 1r CC).

En el matrimoni contret sota reserva mental el contraent emet la declaració de contraure matrimoni que apareix formalment com volguda sota la qual s'amaga la voluntat real de no voler contreure (voluntat reservada o restricció mental); característiques són la unilateralitat i que es manté secreta, oculta a l'altra part contraent que desconeix la manca de voluntat matrimonial; en el cas en què la donés a conèixer s'estaria davant d'una simulació.

En inici el matrimoni en el qual una de les parts s'ha reservat la seva voluntat ha de considerar-se nul ja que falta consentiment matrimonial i així s'entén per un sector de la doctrina. Davant d'aquesta qualificació altra opinió doctrinal posa en dubte l'oportunitat de qualificar la reserva mental com a causa de nul·litat ja que donada la seva unilateralitat seria tant com deixar la validesa del matrimoni en mans d'un dels cònjuges. Naturalment, en aquest supòsit, sens perjudici que l'altre consort quan detecti l'existència de la reserva mental pugui pretendre la separació matrimonial o el divorci. A la pràctica judicial dels tribunals, per evitar el pelegrinatge processal del consort perjudicat, si s'aconsegueix provar la reserva mental s'acaba admetent com a causa de nul·litat del matrimoni.

Hi ha simulació en general quan en la celebració negoci s'emeten les declaracions només volgudes en l' expressió formal, sense voluntat negocial i amb la finalitat d'aparentar davant de tercers. En la simulació divergeixen la voluntat declarada i la voluntat realment volguda. Simulen el matrimoni quan mitjançant pacte (acord simulatori) exclouen el contingut del mateix (arts. 231-2 CCCat i 66 a 68 CC) o el modifiquen o alteren de manera substancial.

La simulació matrimonial sempre és absoluta, no pot donar-se la simulació relativa ja que no és possible la coexistència, com succeeix en els negocis patrimonials, de dos negocis (el de cobertura i el simulat o dissimulat). Diferent és que el matrimoni que es simula es contregui per aconseguir un efecte que es vincula al mateix (per exemple, es casa per obtenir la nacionalitat, o el permís de residència...); en aquests casos s'està a més davant un negoci en frau a la llei.

4.2. Els vicis del consentiment

Els vicis són aquells fets que interfereixen en la correcta formació de la declaració de voluntat que està cridada a integrar el consentiment matrimonial que no impedeixen que hi hagi voluntat si bé de manera defectuosa ja que no es correspon amb l'autèntica. La interferència en el procés de gestació de la voluntat pot afectar l'autonomia o llibertat de la persona o a les representacions mentals a l'hora de prendre la decisió. Doncs bé, si s'atén a aquestes nocions es consideren vicis del consentiment (art. 1265 CC), la força i la intimidació, que suposen falta de llibertat i l'error i el dol que comporten la formació defectuosa del consentiment. D'aquests no tots són aptes per al negoci matrimonial i els que es recullen tenen característiques específiques. Els únics vicis que s'admeten en aquesta seu són l'error en la persona, la coacció (violència) i la por (la intimidació) (causes de nul·litat de l'art. 73 4t i 5è CC).

1. L'error és l'equivocada o inexacta representació de la realitat que serveix de pressupòsit per a la formació de la voluntat. En relació amb el matrimoni s'admet com a causa de nul·litat l'error que recau en la identitat de la persona de l'altre contraent o en aquelles qualitats personals que, per la seva entitat, hagin estat determinants de la prestació del consentiment (art. 73, 4.° CC).

   Quant a l'error en les qualitats de l'altre contraent han de concórrer les següents dades:

   a) De tots els atributs que acompanyen les persones únicament són presos en consideració els de caràcter personal. S'han de descartar les d'índole econòmica (que la persona tingui més o menys fortuna o patrimoni) i també les professionals quan la raó que s'addueix sigui únicament patrimonial.

   b) Aquestes qualitats han de tenir entitat: han de ser el suficientment rellevants, perquè d'haver-se conegut en el moment de contraure matrimoni haurien determinat una voluntat contrària a aquest. c) L'error ha de ser anterior o coetani al moment de celebració del matrimoni. L'equivocació o error posterior només legitimarà, si escau, per a l'exercici de l'acció de separació o divorci.

   L'error, quant vici, és sempre individual i, generalment, es produeix sense la intervenció de ningú. No obstant això, també pot ser el resultat d'una activitat aliena dirigit a produir: l'error ocasionat per l'activitat dolosa ja de l'altre contraent, que enganya al seu futur consort, ja d'una tercera persona. En aquests casos només es pot pretendre la nul·litat del matrimoni si es prova que existeix o es pateix error en les qualitats personals, ja que el dol com a vici del consentiment no s'admet.

2. La coacció i la por greu (causa de nul·litat, arts. 73 5° i 76.2 CC). Què vicis del consentiment s'integren en aquesta fórmula legal? Està d'acord la doctrina a considerar, amb les precisions pròpies del negoci matrimonial, que inclouen la violència i la intimidació (cf. art. 1267 CC). Silencia la normativa els requisits que han de concorre per apreciar quan hi la coacció i la por, el que fa necessari acudir a l'aplicació analògica, amb les adaptacions pertinents, dels arts. 1267 i 1268 CC.

S'emet el consentiment sota violència com a resultat d'emprar una força irresistible sobre qui es casa que no pot ser superada i indueix (per por) a celebrar el matrimoni. L'única manera d'eludir la força que es pateix és contraure matrimoni.

La intimidació, coacció greu, és l'amenaça exercida sobre el contraent, de produir un mal imminent i greu que li provoca un temor racional i fundat que només pot evitar si consent a la celebració del matrimoni. El matrimoni es contrau impulsat per la por. La por ha de ser greu (racional i fundat) el que exclou tant la por o terror ambiental, el qual té la seva causa en situacions anòmales o extraordinàries (conflictes bèl·lics, catàstrofes…) com la por reverencial (la por a desagradar a les persones a les que s'ha de submissió i respecte). És indiferent el caràcter just o injust del mal amb què es amenaci, ja que, a diferència del que succeeix en l'àmbit dels contractes, la llibertat nupcial (*el ius connubi*) és un dels principis fonamentals del negoci matrimonial. Per idèntica raó ha d'apreciar-se que hi ha coacció qualsevol que sigui la persona o béns sobre els quals es diu que actuarà el mal amb el que s'amenaça.

A l'efecte de l'existència de la coacció i la por greu és indiferent qui sigui la persona, ja l'altre contraent o un tercer, que els faci servir.

Lliçó 7
EL MATRIMONI (II): FORMES I CELEBRACIÓ

Mª del Carmen Gete-Alonso y Calera

SUMARI: 1. EL SISTEMA MATRIMONIAL. 2. EL MATRIMONI CIVIL; 2.1. L'expedient matrimonial; 2.2. La celebració del matrimoni. 3. FORMES ESPECIALS DE MATRIMONI CIVIL; 3.1. Matrimoni per apoderat; 3.2. Matrimoni en perill de mort; 3.3. Matrimoni secret. 4. MATRIMONI EN FORMA RELIGIOSA. 5. INSCRIPCIÓ DEL MATRIMONI.

1. EL SISTEMA MATRIMONIAL

El sistema matrimonial és el criteri que segueix cada ordenament jurídic per dotar dels efectes jurídics corresponents a la manera en la qual es constitueix la unió, necessitat plantejada a partir que el legislador civil assumeix la tasca de regular el matrimoni. D'aquí la seva vinculació a la distinció entre el matrimoni celebrat en forma civil i el matrimoni celebrat en forma religiosa.

La llibertat religiosa i la aconfesonalitat de l'Estat, al costat del principi d'unitat jurisdiccional que implica la competència dels tribunals no religiosos (arts. 16 i 117. 5 CE) justifica el sistema matrimonial espanyol. Aquest és un sistema de pluralitat de formes del tipus denominat anglosaxó, d'acord amb el que existeix un únic matrimoni que és el regulat per la legislació civil, si bé pel que fa a la forma de celebració s'admet una pluralitat sempre que es compleixin els requisits establerts per la legislació civil.

Qualsevol espanyol (art. 49 CC) pot contraure matrimoni, dins o fora d'Espanya en forma civil, o en la forma religiosa legalment prevista. I, respecte al matrimoni que es contregui per espanyol fora del territori, es reconeix el que es faci d'acord amb la forma del lloc de celebració. Si tots dos contraents són estrangers es pot celebrar el matrimoni a Espanya d'acord amb la forma prescrita per als espanyols o complint l'establerta per la llei personal de qualsevol d'ells (art. 50 CC).

L'Estat és l'únic que té competència (reserva) per legislar sobre les formes del matrimoni, l'edat i capacitat per a contreure'l, els drets i deures dels cònjuges, les causes de separació i els seus efectes (art. 32 i 149.1. 8a CE).

En el negoci jurídic del matrimoni és essencial la forma, el consentiment matrimonial, sense el qual no hi ha matrimoni (art. 45 CC) s'ha d'expressar d'acord amb la forma, i formalitats si escau, legalment establertes. Estudiem per separat el matrimoni civil i les seves formes especials i el matrimoni en forma religiosa.

2. EL MATRIMONI CIVIL

Els requisits formals del matrimoni civil són el model al qual s'ajusta aquest negoci jurídic personal. Es distingeix un doble moment: 1) Formació de l'expedient matrimonial, 2) Celebració del matrimoni.

2.1. L'expedient matrimonial

Els que desitgen contraure matrimoni han d'acreditar, prèviament en una acta o expedient tramitat d'acord amb la legislació del Registre Civil que reuneixen els requisits de capacitat que exigeix la llei (arts. 56 1 CC i 58.1 LRC).

La competència per constatar mitjançant acta o expedient el compliment dels requisits de capacitat d'ambdós contraents i la inexistència d'impediments o la seva dispensa, o qualsevol gènere d'obstacles per a contreure matrimoni correspon al Lletrat de l'Administració de justicia, Notari o Encarregat del Registre Civil del lloc del domicili d'un dels contraents o al funcionari diplomàtic o consular encarregat del Registre Civil de la demarcació en la qual resideixin a l'estranger (art. 51.1 CC i 58.2 i 9 LRC).

La persona que tramita l'acte o l'expedient escolta els contraents reservadament i per separat per assegurar-se de la seva capacitat i de la inexistència d'impediment i pot sol·licitar els informes i practicar les diligències pertinents per acreditar l'estat, capacitat o domicili dels contraents o qualssevol altres extrems (art. 58.5 LRC).

L'expedient finalitza amb una resolució en la qual s'autoritza o denega la celebració del matrimoni. La denegació haurà de ser motivada i expressar amb claredat la falta de capacitat o l'impediment en què funda la denegació (art. 58.3 LRC). Si és desfavorable es procedirà al tancament de l'acta o expedient i els interessats podran recórrer davant la Direcció General dels Registres i del Notariat (art. 58.7 LRC).

Passat un any des de la publicació dels anuncis o de les diligències substitutòries sense que s'hagi contret el matrimoni, no es podrà celebrar aquest sense nova publicació o diligències (art. 58.5 LRC)

Un supòsit particular és el del matrimoni de la persona afectada per anomalies o deficiències psíquiques. El matrimoni és acte personalíssim de manera que, en cap cas, el consentiment matrimonial pot ser substituït pel d'una altra persona; per aquest motiu la llei disposa un règim particular que actua en aquesta fase: quan l'instructor estima que algun dels contraents està afectat per deficiències mentals, intel·lectuals o sensorials, ha d'exigir dictamen mèdic sobre la seva aptitud per prestar el consentiment (art. 56 2. CC i 58 LRC), amb independència que qui pretengui contraure matrimoni tingui o no modificada judicialment la capacitat. A la vista del mateix autoritza o no la celebració del matrimoni. No obstant això, si ho autoritza i se celebra això no impedeix l'acció de nul·litat del matrimoni fundada en l'absència consentiment (art. 73 1°CC).

2.2. La celebració del matrimoni

El matrimoni tramitat pel Lletrat de l'Administració de justicia o per funcionari consular o diplomàtic pot celebrar-se davant el mateix o un altre diferent, o davant el jutge de pau, alcalde o regidor en qui aquest delegui, a elecció dels contraents. Si s'ha tramitat per l'encarregat del Registre Civil, el matrimoni s'ha de celebrar davant el jutge de pau, alcalde o regidor en qui aquest delegui, que designin els contraents. Si és el notari qui ha estès l'acta matrimonial dels contraents a la seva elecció poden atorgar el consentiment davant el mateix notari o un altre diferent del que hagués tramitat l'acta prèvia, el jutge de pau, alcalde o regidor en qui aquest delegui (art. 57 CC i 58 LRC).

El matrimoni s'ha de celebrar davant l'autoritat competent per raó de la funció (competència funcional) i del territori (competència territorial) i davant de dos testimonis majors d'edat (art. 51, 57, 62 i 73 CC).

Els testimonis han de ser majors d'edat, no s'exigeix que coneguin els contraents. La seva funció es limita a donar testimoni de la celebració de l'acte i a signar, raó per la qual s'ha d'interpretar que, encara que la norma no ho exigeixi, cal que tinguin la suficient capacitat de discerniment per entendre l'acte.

Són competents (art. 51 CC) funcionalment les següents autoritats:
- El Jutge de Pau o l'alcalde del municipi on es celebri el matrimoni o regidor en qui delegui
- El Lletrat de l'Administració de justicia o notari lliurement elegit per tots dos contraents que sigui competent en el lloc de celebració.
- El funcionari diplomàtic o consular encarregat del Registre Civil a l'estranger (art. 58.9 LRC).

La validesa del matrimoni no resulta afectada per la incompetència o falta de nomenament legítim del Jutge de pau, Alcalde, Lletrat de l'Administració de justicia, Notari o funcionari, sempre que almenys un dels cònjuges hagi procedit de bona fe, i aquells exerceixin les seves funcions públicament. Bona fe és el desconeixement del defecte o de la manca de nomenament de la persona que autoritza el matrimoni (art. 53 CCC).

El ritual de la celebració es descriu en l'art. 58 CC: la persona que autoritza el matrimoni procedeix a la lectura dels preceptes (art. 66, 67 i 68 CC, cf. art 231-2 CCCat) en els quals s'enuncia el contingut (drets i deures) mínim legal del negoci matrimonial. Un cop llegits ha de demanar a cada un dels contraents si consenten a contraure matrimoni l'un amb l'altre i si efectivament el contraent en aquest acte, després aquests han de respondre i si la contestació és afirmativa l'autoritat ha de declarar que queden units en matrimoni i estendre l'acta o escriptura corresponent.

Pel que fa al lloc en el qual s'ha de celebrar el matrimoni és el que elegeixin els contraents i sempre depèn de la persona que ho autoritzi. La celebració del matrimoni es farà constar mitjançant acta o escriptura pública signada per aquell davant qui se celebri, els contraents i dos testimonis. Estesa l'acta o autoritzada l'escriptura pública, es remet pel autoritzant còpia acreditativa de la celebració del matrimoni al Registre Civil competent, per a la seva inscripció, prèvia qualificació per l'encarregat del mateix (art. 62).

Si els contraents volen contraure matrimoni a l'estranger, d'acord amb la forma establerta per la llei del lloc de celebració o en forma religiosa i s'exigeix que presentin un certificat de capacitat matrimonial, l'expedeix el Lletrat de l'Administració de justicia, Notari, Encarregat del Registre Civil o funcionari consular o diplomàtic del lloc del domicili de qualsevol dels contraents, previ expedient instruït o acta que contingui el judici del autoritzant acreditatiu de la capacitat matrimonial dels contraents (art. 58. 12 LRC).

3. FORMES ESPECIALS DE MATRIMONI CIVIL

Les formes especials de celebració del matrimoni civil es caracteritzen perquè suposen una modificació, total o parcial, d'algun dels requisits, afecten la forma, els altres elements essencials del matrimoni no es modifiquen.

3.1. Matrimoni per apoderat

En aquesta forma un dels contraents manifesta el seu consentiment mitjançant una persona diferent (l'apoderat) que és un mer transmissor de la voluntat de l'absent. Malgrat el nom l'apoderat no és representant voluntari del contraent i es limita a actuar com missatger (*nuntius*) de la voluntat aliena; el caràcter personalíssim del negoci jurídic matrimonial impedeix que el consentiment del contraent es substitueixi pel d'una altra persona. Aquesta forma de celebració requereix (art. 55 CC):

a) Que, almenys un dels contraents assisteixi personalment a la celebració del matrimoni, presència que és inexcusable, en conseqüència, no pot realitzar-se amb dos apoderats.

b) Que s'atorgui poder especial per contraure matrimoni en forma autèntica en el qual ha de constar la persona amb qui s'ha de celebrar el matrimoni i l'expressió de les circumstàncies personals precises per establir la seva identitat. La validesa l'aprecia la persona que tramiti l'acta o expedient previ al matrimoni.

Si el poder s'extingeix abans de la celebració del matrimoni no pot celebrar-se vàlidament perquè falta el consentiment (art. 73 1 ° CC). El poder s'extingeix per revocació de qui el va atorgar, per la renúncia de l'apoderat o per la mort de qualsevol d'ells. En el cas de la revocació n'hi ha prou la seva manifestació en forma autèntica abans de la celebració del matrimoni. La revocació es notifica immediatament a qui tramiti l'acta o expedient previ al matrimoni, i si ja estigués finalitzat a qui vagi a celebrar-ho (art. 55 CC).

El matrimoni se celebra davant l'autoritat competent, els dos testimonis majors d'edat i amb l'assistència del cònjuge present en el lloc de celebració i l'apoderat, davant els quals el autoritzant procedeix al ritual de celebració explicat.

3.2. Matrimoni en perill de mort

La simplificació dels requisits afecta la persona legitimada per autoritzar el matrimoni i l'expedient matrimonial que no requereix que es tramiti prèviament a la seva celebració, sense perjudici de les regles especials per a la seva inscripció al Registre Civil (art. 52 CC).

Perquè pugui celebrar-se el matrimoni en perill de mort (*in articulo mortis*) cal que un o ambdós contraents es trobin en una situació de perill o risc per a la seva vida per causes objectives (conflagració bèl·lica, terratrèmols, incendis...) o subjectives (malaltia greu, ...) que puguin desembocar en la mort. Si el perill de mort deriva de malaltia o estat físic d'algun dels contraents, cal dictamen mèdic sobre la capacitat per a la prestació del consentiment i la gravetat de la situació, excepte impossibilitat acreditada (art. 52 CC).

El matrimoni se celebra davant de dos testimonis majors d'edat i la persona que la llei legitima especialment. Pot autoritzar el matrimoni (art. 52 CC):

1r. El Jutge de Pau, Alcalde o regidor en qui delegui, Lletrat de l'Administració de justicia, Notari o el funcionari diplomàtic o consular encarregat del Registre Civil a l'estranger.

2n. L'Oficial o cap superior immediat respecte dels militars en campanya.

3r. El capità o comandant respecte dels matrimonis que se celebren a bord d'una nau o aeronau.

En la resta s'ha de seguir el ritual ordinari de celebració.

3.3. Matrimoni secret

L'especialitat d'aquesta forma de celebració del matrimoni actua tant en la fase anterior a la seva celebració, com en aquesta i en la inscripció atès que s'estableixen mesures per evitar la publicitat del mateix. És la forma laica del matrimoni de consciència de la legislació canònica.

Perquè pugui tenir lloc s'ha de sol·licitar al ministre de Justícia que pot autoritzar el matrimoni secret a proposta de la Direcció General de Registres (art. 54 CC) quan hi hagi una causa greu suficientment provada.

En, aquest cas l'expedient es tramita de forma reservada sense la publicació d'edictes o proclames (art. 54 CC) i no es dóna publicitat a la seva celebració, a la qual han de concórrer la persona autoritzada per a això i els dos testimonis majors d'edat. L'original de l'acta de celebració es remet immediata i reservadament a Oficina Central del Registre Civil en què consta.

El matrimoni produeix efectes entre les parts però no perjudica els drets adquirits per terceres persones sinó des que es publiqui en el Registre Civil ordinari (art. 64 CC) mentre tant es de publicitat restringida (art. 83.1 e) LRC).

4. MATRIMONI EN FORMA RELIGIOSA

El consentiment matrimonial pot prestar-se en la forma prevista per una confessió religiosa inscrita, en els termes acordats amb l'estat o, si no, autoritzats per la legislació o han de ser esglésies, comunitats religioses o federacions, inscrites en el Registre d'Entitats religioses que hagin obtingut el reconeixement de notori arrelament a Espanya (arts. 59 i 60.2 CC). El matrimoni celebrat de conformitat amb les formes religioses previstes produeix efectes civils (art. 60.3 CC), per al ple reconeixement és necessari que s'inscrigui al Registre Civil (art. 61 2. CC). El RD 1879/1994, de 16 de setembre, regula el Registre d'Entitats Religioses.

Existeix acord entre l'estat i l'Església Catòlica (Acord jurídic entre l'estat i la Santa Seu de 3 de gener de 1979), la Federació d'Entitats Religioses Evangèliques d'Espanya (Llei 24/1992, de 10 de novembre); la Federació de Comunitats Israelites d'Espanya (Llei 25/1992, de 10 de Novembre) i la Comissió Islàmica d'Espanya (Llei 26/1992, de 10 de Novembre). Per a la celebració del matrimoni en la forma religiosa prevista en l'Acord entre l'Estat espanyol i la Santa Seu sobre Assumptes Jurídics i en els Acords de cooperació de l'Estat amb les confessions religioses s'està al que disposen els mateixos. En els que s'exigeix:

a) Que es promogui l'expedient matrimonial previ i s'obtingui la certificació emesa que acrediti que els contraents tenen la capacitat matrimonial; excepte en el matrimoni que es contregui en forma canònica (Església catòlica) que no requereix la formació d'expedient civil. Aquesta certificació s'ha de presentar en el moment de la celebració del matrimoni (Ordre de 19 abril 2016, certificat de capacitat matrimonial).

b) Que es celebri el matrimoni davant el ministre del culte corresponent i dos testimonis majors d'edat abans que transcorrin sis mesos de l'expedició del certificat de capacitat matrimonial. Transcorregut el termini s'ha d'obtenir un nou certificat.

A l'abril de 2016 s'ha declarat el notori arrelament a Espanya de l'Església de Jesucrist dels Sants dels Darrers Dies (2003), de l'Església dels Testimonis de Jehovà (2006), de les Comunitats Budistes que formen part de la Federació de Comunitats Budistes d'Espanya (2007) i de l'Església Ortodoxa (2010).

En aquest cas perquè es reconeguin efectes civils s'exigeix que es tramiti una acta o expedient previ de capacitat matrimonial d'acord amb la normativa del Registre Civil i la lliure manifestació del consentiment davant un ministre de culte degudament acreditat i dos testimonis majors d'edat. La condició de ministre de culte s'acredita mitjançant un certificat expedit per l'església, confessió o comunitat religiosa que hagi obtingut el reconeixement de notori arrelament a Espanya, amb la conformitat de la federació que, si s'escau, hagi sol·licitat aquest reconeixement (art. 60.2 CC).

Celebrat el matrimoni, l'oficiant estendrà certificació amb els requisits necessaris per a la seva inscripció, les mencions d'identitat dels testimonis i les circumstàncies de l'acta prèvia que han d'incloure el nom i cognoms de l'encarregat del Registre Civil o funcionari diplomàtic o consular que l'ha estès. Aquesta certificació es remet per mitjans electrònics juntament amb la certificació acreditativa de la condició de ministre de culte, dins el termini de cinc dies a l'encarregat del Registre Civil competent per a la seva inscripció. Igualment s'estén a les dues còpies de la resolució prèvia de capacitat matrimonial diligència de la celebració del matrimoni lliurant una als contraents i conservant l'altra com a acta de la celebració a l'arxiu de l'oficiant o de l'entitat religiosa a la qual representa com a ministre de culte (art. 58 bis LRC).

5. LA INSCRIPCIÓ DEL MATRIMONI

Per a l'existència jurídica del matrimoni és suficient que concorrin els requisits de capacitat, consentiment i forma que exigeix la llei, la inscripció en el Registre Civil no el constitueix, produeix efectes des de la seva celebració, sigui quina sigui la forma de celebració. Entre les parts, els contraents, és plenament eficaç i es poden exigir el contingut del negoci des d'aquella sense necessitat que consti inscrit en el Registre Civil; però el matrimoni afecta a tercers, d'aquí que sigui necessària la publicitat a través de la publicació en un registre oficial.

Per al ple reconeixement dels efectes cal que el matrimoni s'inscrigui en el Registre Civil, de manera que el matrimoni no inscrit no perjudica els drets adquirits de bona fe per terceres persones (art. 61 CC). És la qualitat o condició de inoposabilitat del no inscrit. La bona fe es predica del coneixement o no del fet que la persona de la qual s'ha adquirit estava casada, no de la constància registral del matrimoni.

En tot cas, la inscripció del matrimoni, que és declarativa és un mitjà privilegiat de prova, en el procés i fora d'ell, de que hi ha matrimoni. La inscripció fa fe del matrimoni i de la data i lloc en què es contreu i produeix el ple reconeixement dels efectes civils del mateix davant de tercers de bona fe (art. 59 LRC).

El matrimoni s'inscriu en els registres individuals dels contraents. El celebrat davant una autoritat estrangera accedeix al Registre Civil espanyol mitjançant la inscripció de la certificació corresponent.

Estesa l'acta o autoritzada l'escriptura pública, es lliura a cada un dels contraents còpia acreditativa de la celebració del matrimoni i es remet pel autoritzant, en el mateix dia i per mitjans telemàtics, testimoni o còpia autoritzada electrònica del document al Registre Civil per a la seva inscripció, prèvia qualificació (arts. 62.2. CC, 58.8 LRC).

El matrimoni celebrat a Espanya en forma religiosa accedeix al Registre Civil mitjançant la inscripció de la certificació emesa pel ministre de culte, es practica amb la simple presentació de la certificació de l'església, o confessió, comunitat religiosa o federació respectiva, que haurà de expressar les circumstàncies exigides per la legislació del Registre Civil. Practicada la inscripció, l'encarregat del Registre Civil posarà a disposició de cada un dels contraents la certificació de la inscripció del matrimoni (art. 59 LRC).

Quan el matrimoni s'hagi celebrat sense tramitació de l'expedient o acta prèvia, si aquest és necessari, el Lletrat de l'Administració de justicia, Notari, o el funcionari encarregat del Registre Civil que l'hagi celebrat, abans de realitzar les actuacions que siguin procedents per a la seva inscripció, ha de comprovar si concorren els requisits legals per a la seva validesa, mitjançant la tramitació de l'acta o expedient. Si el matrimoni s'ha celebrat davant una autoritat o persona diferent, l'acta s'ha de remetre a l'encarregat del Registre Civil del lloc de celebració perquè es comprovin els requisits de validesa, mitjançant l'expedient corresponent. Comprovats s'inscriu el matrimoni (arts. 65 i 58. 10 LRC).

Lliçó 8
EL MATRIMONI (III): EFECTES

Judith Solé Resina

1. EFECTES EN L'ÀMBIT PERSONAL. EL PRINCIPI D'IGUALTAT DELS CÒNJUGES

El matrimoni origina una relació jurídica entre els cònjuges basada en la comunitat de vida. No crea una relació de parentiu entre els cònjuges però si origina parentiu per afinitat entre cadascun d'ells i els parents consanguinis de l'altre.

Del vincle matrimonial es deriven un conjunt d'efectes, en els àmbits personal, familiar i patrimonial dels cònjuges, que impliquen drets i deures recíprocs i eventualment deures dels cònjuges respecte tercers.

Pel que fa als efectes en l'àmbit personal, l'art. 231-2 CCCat disposa que "1. El matrimoni estableix un vincle jurídic entre dues persones que origina una comunitat de vida en la qual els cònjuges han de respectar-se, actuar en interès de la família, guardar-se lleialtat, ajudar-se i prestar-se socors mutu. 2. Els cònjuges tenen en el matrimoni els mateixos drets i deures, especialment la cura i l'atenció dels altres membres de la família que estiguin a llur càrrec i convisquin amb ells, i han de compartir les responsabilitats domèstiques".

Del segon paràgraf del precepte transcrit s'infereix que el principi d'igualtat dels cònjuges actua com a principi informador de la relació jurídica matrimonial (d'acord amb l'art. 14 CE) sigui quin sigui el sexe dels cònjuges. En aquest sentit, cal recordar que la Ley 13/2005, de 1 de juliol, por la que se modifica el Código Civil en materia de derecho a contraer matrimonio, va afegir un segon paràgraf a l'art. 44 CC segons el qual "el matrimoni tindrà els mateixos requisits i efectes quan ambdós contraents siguin del mateix o de diferent sexe". I també d'acord amb el que estableix l'art. 32 CE: "l'home i la dona tenen dret a contraure matrimoni amb plena igualtat jurídica" (amb independència del sexe de la persona amb qui contreguin matrimoni).

L'art. 231-4.3 CCCat impedeix la representació automàtica d'un cònjuge per l'altre (si és possible la representació voluntària, fins i tot de forma tàcita quan es dedueix dels actes concloents del cònjuges). Aquesta previsió s'explica per la voluntat del legislador de constatar la igualtat de la dona, que fins a 1975 era representada pel marit que exercia l'autoritat marital. Actualment, el matrimoni no limita la capacitat d'obrar de la dona, ni modifica per si sol la seva nacionalitat o veïnatge civil, ni limita la seva adquisició, pèrdua o recuperació.

La igualtat entre l'home i la dona també es manifesta en les relacions amb els fills (art. 39.3 CE) respecte els quals tenen la potestat compartida (art. 23-1 CCCat).

Els deures personals referits a l'art. 231-2 CCCat descriuen unes pautes de comportament que han de regir les relacions personals entre els cònjuges, però no són veritables obligacions jurídiques perquè el seu incompliment no comporta l'aplicació dels mitjans de coacció propis de l'incompliment contractual —són incoercibles—. A més, actualment es qüestiona fins i tot si es tracta pròpiament de deures personals, ja que els canvis que introdueix la Ley 13/2005, de 1 de juliol, por la que se modifica el Código Civil en materia de derecho a contraer matrimonio, concretament pel que fa a l'abandonament absolut del divorci causal i la completa supressió de l'incompliment dels deures del matrimoni com a causa de separació i divorci, que n'eliminen els efectes jurídics. Essent així, els deures personals no solament són incoercibles, sinó que el seu incompliment —fins aleshores causa de separació i divorci— no comporta cap efecte jurídic.

Amb tot, la doctrina majoritària segueix defensant que els drets i deures establerts a l'art. 231-2 CCCat són indisponibles: els cònjuges no poden pactar la seva modificació o supressió, per bé que si poden convenir sobre la forma d'exercitar-los. En aquest sentit, l'art. 231-19 CCCat contempla la possibilitat d'establir en capítols matrimonials les estipulacions i pactes lícits que es considerin convenients i l'art. 231-20 CCCat la possibilitat de pactes en previsió d'una ruptura matrimonial.

1.1. La convivència

L'art. 231-2 CCCat diu que "el matrimoni… origina una comunitat de vida", d'on s'infereix que implica la convivència dels cònjuges.

La convivència també comporta que els cònjuges fixaran de comú acord el domicili de la família i, a falta d'acord, serà l'autoritat judicial qui el determini en interès de la família, per bé que solament a efectes legals (no obliga a la família a viure-hi). Així s'indica a l'art 231-3.1 CCCat que disposa que "1. Els cònjuges determinen de comú acord el domicili familiar. Davant terceres persones, es presumeix que el domicili familiar és aquell on els cònjuges o bé un d'ells i la major part de la família conviuen habitualment. 2. En cas de desacord respecte al domicili, qualsevol dels cònjuges pot acudir a l'autoritat judicial, que l'ha de determinar en interès de la família als efectes legals".

1.2. El respecte i la lleialtat

D'acord amb l'art. 231-2 CCCat el cònjuges "han de respectar-se" i "guardar-se lleialtat".

El respecte suposa un tracte deferent a l'altra persona que atengui el lliure desenvolupament de la seva personalitat (art. 10 CE), la no ingerència en la seva esfera íntima i els seus drets personalíssims, perquè el matrimoni no limita cap dret personalíssim.

Evidentment, constitueixen manca de respecte els maltractaments físics o psíquics i tot tipus de conducta injurioses o vexatòries

La llei catalana es refereix també a la lleialtat entre els cònjuges, a diferència del CC que parla del deure de fidelitat entre els consorts (art. 68 CC). Mentre la fidelitat suposa una reprovació de l'adulteri i es refereix a la conducta sexual dels cònjuges, la lleialtat no s'identifica amb aquesta conducta necessàriament. Suposa actuar envers l'altre cònjuge sense mentides o enganys, no solament o concretament en l'aspecte de les relacions sexuals, sinó en qualsevol acció que afecti la parella. I així va més enllà del respecte, que pressuposa.

1.3. L'ajuda i el socors mutu

L'art. 231-2 CCCat també diu que els cònjuges "han ajudar-se i prestar-se socors mutu". Ambdues actituds guarden relació amb la col·laboració entre els cònjuges que es suposa en el matrimoni per atendre les necessitats dels cònjuges i de la resta de la família. En aquest sentit, continua l'art. 231-2.2 dient que "Els cònjuges tenen en el matrimoni els mateixos drets i deures, especialment la cura i l'atenció dels altres membres de la família que estiguin a llur càrrec i convisquin amb ells, i han de compartir les responsabilitats domèstiques".

Probablement l'ajuda mútua s'ha d'interpretar amb un abast més general i el mutu socors es circumscriu a situacions més puntuals. En qualsevol cas, fan referència la col·laboració tant en l'àmbit afectiu, com en les actuacions personals —feines domèstiques i cura i atenció dels ascendents i descendents— i en l'àmbit l'econòmic. En aquest darrer aspecte s'insereix l'obligació d'aliments —institucional— entre els cònjuges i l'obligació de contribució a les despeses familiars.

1.4. L'actuació en interès de la família

Finalment, l'art. 231-2.1 CCCat afegeix que els cònjuges han "d'actuar en interès de la família". Aquesta afirmació evidencia l'existència d'un interès de la família diferenciat del interès propi de cadascun dels cònjuges, per bé que habitualment coincidiran. En tot cas, s'ha d'interpretar que els cònjuges poden atendre els seus propis interessos però que no han d'actuar en contra de l'interès familiar.

2. EFECTES EN L'ÀMBIT FAMILIAR

En l'àmbit familiar, el matrimoni compromet els cònjuges a participar en la direcció de la família, a contribuir a les despeses familiars i respondre dels deutes contrets amb aquestes enfront a terceres persones. També comporta algunes limitacions de la disponibilitat dels cònjuges respecte el domicili familiar. Aquests efectes, que es regulen en la secció del CCCat dedicada a les disposicions generals i efectes del matrimoni s'apliquen a tots els matrimonis amb independència de quin sigui el seu règim econòmic matrimonial, per bé que alguns d'ells estan especialment referits als supòsits de separació de béns.

2.1. La direcció de la família

Els cònjuges han de participar en la direcció de la família que d'acord amb el principi d'igualtat dels cònjuges s'ha d'exercir de comú acord i tenint en compte l'interès de tots els seus membres (art. 231-4.1 CCCat) per bé que, en interès de la família, qualsevol dels cònjuges pot actuar de forma individual per atendre les necessitats i les despeses familiars ordinàries, d'acord amb els usos i el nivell de vida de la família, i es presumeix que el cònjuge que actua té el consentiment de l'altre (art. 234-4.2 CCCat). També del principi d'igualtat i de l'autonomia personal i patrimonial dels cònjuges resulta que en cap cas un dels cònjuges es pot atribuir la representació de l'altre si no li ha estat expressament conferida, llevat de situacions d'urgència o d'impossibilitat de l'altre cònjuge de donar el consentiment (art. 231-4.3 CCCat), per la qual cosa a la gestió feta per un sol dels cònjuges en nom de l'altre li són aplicables les regles en matèria de gestió de negocis (art. 231-4.4 CCCat).

Els cònjuges tenen el deure d'informació recíproca sobre la gestió patrimonial que duen a terme amb relació a l'atenció de les despeses familiars (art. 231-7 CCCat).

2.2. Les despeses familiars

La comunitat de vida genera sempre unes despeses que han de ser compartides. A les despeses familiars han de contribuir ambdós cònjuges en la manera que pactin, amb els recursos procedents de llur activitat o de llurs béns, en proporció a llurs ingressos i, si aquests no són suficients, en proporció a llurs patrimonis. En aquest punt cal tenir en compte que l'aportació de treball domèstic es reconeix com una forma de contribució a les despeses familiars. Si hi ha béns especialment afectes a les despeses familiars, llurs fruits i rendes s'han d'aplicar preferentment a pagar-les. També els fills comuns o no, que conviuen amb la família han de contribuir proporcionalment a llurs possibilitats a les despeses familiars, i els altres parents que conviuen amb la família en la mesura de llurs possibilitats i d'acord amb les despeses que generen (art. 231-6 CCCat).

Les despeses familiars són les derivades de les necessitats de manteniment de la família, d'acord amb els usos i el nivell de vida familiar i comprenen: les originades en concepte d'aliments, en el sentit més ampli, les despeses ordinàries de conservació, manteniment i reparació dels habitatges o d'altres béns d'ús de la família, les atencions de previsió, les mèdiques i les sanitàries, els aliments deguts als fills no comuns que convisquin amb els cònjuges, i les despeses originades per altres parents que hi convisquin, llevat, en ambdós casos, que no ho necessitin. No són despeses familiars les derivades de la gestió i la defensa dels béns privatius, llevat de les que tenen connexió directa amb el manteniment familiar. Tampoc no són despeses familiars les que responen a l'interès exclusiu d'un dels cònjuges (art. 231-5 CCCat).

Cal subratllar que pel que fa a les despeses de l'habitatge familiar, es distingeix entre les despeses relacionades amb la conservació i manteniment de l'immoble, que sí tenen categoria de despeses familiars, i el pagament de les quotes del préstec que ha permès que els cònjuges accedissin a la propietat, que no ho són i s'han de satisfer d'acord amb el que disposa el títol de constitució (art. 231-5 CCCat).

A banda d'aquestes despeses, els cònjuges poden atribuir el caràcter de familiar a altres per pacte quan així ho considerin. També poden excloure aquest caràcter i considerar privatives algunes d'elles sense que això afecti a llur responsabilitat enfront a tercers.

2.3. La responsabilitat enfront terceres persones

En tot cas, davant de terceres persones, ambdós cònjuges responen solidàriament de les obligacions contretes per a atendre les necessitats i les despeses familiars ordinàries d'acord amb els usos i el nivell de vida de la família. En cas d'altres obligacions, en respon el cònjuge que les contreu (art. 231-8 CCcat).

2.4. La disposició de l'habitatge familiar

El TSJC ha definit habitatge familiar com "aquell en el que habitualment resideix la família i té per morada o centre de la seva convivència, sense que es pugui confondre amb aquells altres que la família habita o utilitza temporal o estacionalment (coneguts com segones o terceres residències) o bé amb altres susceptibles de ser utilitzats, també, per comptar amb elements aptes per servir d'habitatge familiar, malgrat no ho siguin de present" (STSJC 50/2012, de 30 de juliol).

L'habitatge familiar és objecte d'una especial protecció per part de l'ordenament jurídic. Així s'estableix un règim jurídic especial d'acord amb el qual, amb independència del règim econòmic matrimonial aplicable al matrimoni, el cònjuge titular, sense el consentiment de l'altre, no pot fer cap acte d'alienació, de gravamen o, en general, de disposició del seu dret sobre l'habitatge familiar o sobre els mobles d'ús ordinari que en comprometi l'ús, encara que es refereixi a quotes indivises. Aquest consentiment no es pot excloure per pacte ni atorgar amb caràcter general. Si manca el consentiment, l'autoritat judicial pot autoritzar l'acte, tenint en compte l'interès de la família, o l'existència d'una altra causa que ho justifiqui. L'acte fet sense el consentiment o l'autorització judicial és anul·lable a instància de l'altre cònjuge, si viu en el mateix habitatge, en el termini de quatre anys des que en pren coneixement o des que s'inscriu l'acte en el Registre de la Propietat. L'acte manté l'eficàcia si l'adquirent actua de bona fe i a títol onerós i, a més, el titular ha manifestat que l'immoble no té la condició d'habitatge familiar, encara que sigui una manifestació inexacta. No hi ha bona fe si l'adquirent coneixia o podia conèixer raonablement en el moment de l'adquisició la condició de l'habitatge. En qualsevol cas, el cònjuge que n'ha disposat respon dels perjudicis que hagi causat (art. 231-9 CCCat).

3. RELACIONS ECONÒMIQUES ENTRE ELS CÒNJUGES

Deixant per a la propera lliçó el tractament dels règims econòmics matrimonials, abordarem a continuació les relacions econòmiques entre els cònjuges que regula de manera particular el Codi Civil de Catalunya. Concretament ens referirem a la contractació entre els cònjuges, les adquisicions oneroses amb pacte de supervivència, els capítols matrimonials, els pactes en previsió d'una ruptura matrimonial, i els drets viduals familiars.

3.1. La contractació entre cònjuges

Els cònjuges poden contractar lliurement entre sí, és a dir, celebrar entre ells qualsevol tipus de contracte. En aquest sentit, l'art. 231-11

CCCat estableix aquesta regla general de la llibertat de contractació en els següents termes: "Els cònjuges es poden transmetre béns i drets per qualsevol títol i fer entre ells tota mena de negocis jurídics".

Els contractes transmissius a títol lucratiu més habituals que es celebren entre cònjuges són les compravendes i les permutes, que es troben subjectes a la regulació ordinària.

3.1.1. Les donacions entre cònjuges

Els cònjuges també poden celebrar donacions entre sí, per bé que en aquest cas es preveuen algunes especialitats en el seu règim jurídic. Les donacions entre cònjuges poden ser donacions ordinàries (art. 231-14 CCCat), donacions per raó del matrimoni realitzades en capítols matrimonials (art. 231-25 CCCat) o donacions per raó de matrimoni atorgades fora de capítols matrimonials (art. 231-28 CCCat).

Les donacions entre cònjuges atorgades fora de capítols matrimonials, en principi es regeixen per les normes generals de les donacions (art. 231-27 CCCat) i per bé que d'acord amb l'art. 231-14 CCCat són revocables en els casos generals de revocació de donacions (art. 531-15 CCCat), en el cas de supervenció de fills, només ho són si es tracta de fills comuns.

Les donacions entre cònjuges atorgades fora de capítols matrimonials que es fan en consideració del matrimoni, tant si les atorguen els cònjuges com si les atorguen altres persones, es regeixen per les regles generals de les donacions, llevat les següents especificitats (art. 231-27 CCCat):

1. Es poden sotmetre a condicions i a modes; i si el bé donat està subjecte a càrrega o gravamen, el donant no està obligat a l'alliberament corresponent (art. 231-28 CCCat); i

2. Es poden revocar per: a) manca de celebració de matrimoni en el termini d'un any des de la donació; b) declaració de nul·litat del matrimoni, si el donatari és de mala fe i el donant és el seu cònjuges; c) incompliment de càrregues; i d) ingratitud del donatari (art. 231-29 CCCat).

D'aquesta manera, respecte les causes generals de revocació de les donacions, en les donacions per raó de matrimoni atorgades fora de capítols matrimonials s'exclouen la de supervivència i sobrevinença de fills dels donants i la pobresa dels donants, i s'hi afegeixen la falta de celebració del matrimoni en el termini d'un any i la declaració de nul·litat del matrimoni quan el donatari és de mala fe i el donant és el seu cònjuge (art. 531-15.1 CCCat).

Les donacions atorgades en capítols matrimonials únicament són revocables per incompliment de càrregues (art. 231-25 CCCat).

3.1.2. La protecció dels creditors

La llei estableix un seguit de normes dirigides a la protecció dels creditors dels cònjuges. I és que les circumstàncies de comunitat de vida i complicitat que envolten la contractació entre els cònjuges, poden afavorir que en alguns casos hi hagi dificultats per determinar la titularitat dels béns, falta de transparència que pot perjudicar als creditors.

En aquesta línia, l'art. 231.11 *in fine* CCCat disposa que "En cas d'impugnació judicial, correspon als cònjuges la prova del caràcter onerós de la transmissió". Estableix així la presumpció de gratuïtat dels negocis celebrats entre els cònjuges i inverteix la càrrega de la prova del caràcter onerós de la transmissió que recau sobre els cònjuges, afavorint d'aquesta manera els tercers que impugnen el negoci celebrat.

D'altra banda, l'art. 231-12.1 CCCat estableix una presumpció de donació quan disposa que "En cas de declaració de concurs d'un dels cònjuges, els béns adquirits per l'altre a títol onerós durant l'any anterior a la declaració se subjecten al règim següent:

   a) Si la contraprestació per a adquirir-los procedia del cònjuge concursat, se'n presumeix la donació.

   b) En aquella part en què no es pugui acreditar la procedència de la contraprestació, se'n presumeix la donació de la meitat".

La presumpció de l'apartat 1 b) es destrueix si s'acredita que, en el moment de l'adquisició, l'adquirent tenia ingressos o recursos suficients per a fer-la (art. 231-12.2.2 CCCat).

Les presumpcions establertes a l'art. 231-12 CCCat no regeixen si els cònjuges estaven separats legalment o de fet en el moment de l'adquisició (art. 231-12.2.3 CCCat).

Aquestes normes s'han de completar amb el que estableix de forma general l'art. 531-14 CCCat i els concordants de la Ley 22/2003, de 9 de juliol, concursal (arts 71 i 78).

D'altra banda, l'art. 231-13 CCCat estableix que en cas de declaració de concurs dels cònjuges o d'embargament de comptes indistints per deutes privatius d'un dels cònjuges, el cònjuge no deutor pot sostreure de la massa activa del concurs o de l'embargament els imports que acrediti que li pertanyen.

3.2. *Les adquisicions oneroses amb pacte de supervivència*

Els cònjuges o futurs cònjuges que adquireixin béns a títol onerós poden pactar en el mateix títol d'adquisició que, quan qualsevol d'ells mori, el supervivent esdevingui titular únic de la totalitat (art. 231-15.1 CCCat). Aquesta clàusula es coneix com el pacte de supervivència i tradicionalment ha actuat com un correctiu convencional del règim de separació absoluta de béns, ja que respon a la voluntat dels cònjuges de procedir a una certa comunicació entre els seus patrimonis.

Mentre visquin ambdós cònjuges, els béns adquirits amb pacte de supervivència estan subjectes a un règim jurídic especial (diferent al de la comunitat per quotes o comunitat romana). S'han de regir per les regles següents: a) no poden ésser alienats ni gravats, si no és per acord d'ambdós cònjuges; b) cap dels cònjuges no pot transmetre a terceres persones el seu dret sobre els béns; i c) s'ha de mantenir la indivisió dels béns (art. 231-15.2 CCCat).

El pacte de supervivència esdevé ineficaç si un dels cònjuges adquirents ha atorgat amb anterioritat un heretament universal i aquest és eficaç en morir l'heretant (art. 231-1 CCCat).

Els béns adquirits amb pacte de supervivència responen dels deutes privatius dels cònjuges, de manera que el creditor d'un dels cònjuges pot demanar l'embargament sobre la part que el deutor té en aquests béns, si bé ha de notificar l'embargament al cònjuge que no és part en el litigi (art. 231-17.1 CCCat).

En cas de declaració de concurs, la part corresponent al cònjuge concursat s'integra a la massa activa. L'altre cònjuge té dret a treure de la massa aquesta part satisfent-ne el valor. Si es tracta de l'habitatge familiar, el valor és el preu d'adquisició actualitzat d'acord amb l'índex de preus al consum específic del sector de l'habitatge. En els altres béns, el valor és el que determinin de comú acord el cònjuge del concursat i l'administració concursal o, si no n'hi ha, el que fixi l'autoritat judicial després d'haver escoltat les parts i amb l'informe previ d'un expert si ho considera pertinent (art. 231-17.2 CCCat).

El pacte de supervivència s'extingeix per: a) acord d'ambdós cònjuges durant el matrimoni; b) declaració de nul·litat del matrimoni, separació legal o de fet, o divorci; c) adjudicació a un tercer de la meitat del bé com a conseqüència de l'embargament o d'un procediment concursal (art. 231-18.1 CCCat).

La ineficàcia i l'extinció del pacte de supervivència determinen la cotitularitat, en comunitat indivisa ordinària, dels cònjuges, o del cònjuge supervivent i dels heureus del premort, o bé del cònjuge no deutor i de l'adjudicatari de la meitat del cònjuge deutor (art. 231-18.2 CCCat)

Al temps de la mort, l'adquisició de la participació del premort s'ha de computar en l'herència d'aquest pel valor que tingui la participació en el moment de produir-se la mort, als efectes del càlcul de la llegítima i de la quarta vidual, i s'ha d'imputar a aquesta pel mateix valor. En cas de renúncia, s'entén que el renunciant no ha adquirit mai la participació del premort (art. 231-15.3 CCCat).

El pacte de supervivència atorgat abans de la celebració del matrimoni caduca si aquest no s'arriba a celebrar en el termini d'un any (art. 231-15.4 CCCat).

3.3. Els capítols matrimonials

Els capítols matrimonials són un negoci jurídic de contingut variable que s'atorga amb la finalitat de regular el funcionament i l'extinció per qualsevol causa del matrimoni. La seva principal funció és la de permetre que els cònjuges o els futurs contraents del matrimoni pactin el règim econòmic matrimonial que millor s'adapti a les seves necessitats o conveniències. Però el contingut dels capítols pot comprendre també el pacte d'una institució contractual d'hereu, l'atorgament de donacions i altres estipulacions i pactes lícits que es considerin convenients, fins i tot en previsió d'una ruptura matrimonial (art. 231-19.1 CCCat).

Els capítols matrimonials es poden atorgar abans o després de la celebració del matrimoni. Els atorgats abans només produeixen efectes a partir de la celebració del matrimoni i caduquen si aquest no s'arriba a celebrar en el termini d'un any (art. 231-19.2 CCCat).

La capacitat necessària per atorgar capítols matrimonials coincideix amb l'exigida per contraure matrimoni, de manera que qui es pot casar pot atorgar-los, sense perjudici dels complements de capacitat exigibles en el seu cas (art. 231-21 CCCat). A més dels cònjuges poden intervenir altres persones, que normalment seran parents pròxims que realitzen aportacions patrimonials al matrimoni o a la comunitat familiar que es crea. Aquests cal que tinguin capacitat de contractar i de disposició dels béns.

Els capítols matrimonials i llurs modificacions s'han d'atorgar en escriptura pública, essent aquest requisit de forma necessari (ad solemnitatem) per a la seva validesa (art. 231-22.1 CCCat) i solament quan estiguin inscrits en la inscripció de matrimoni en el Registre Civil i, si escau, en altres registres públics, seran oposables a terceres persones (art. 231-22.2 CCCat).

La modificació dels capítols matrimonials pot consistir en un canvi de règim econòmic o en la variació d'algun dels altres pactes convinguts. Quan la modificació afecta als drets que terceres persones haguessin conferit, aquestes, o llurs hereus, hauran de consentir la modificació. Els cònjuges poden modificar el règim econòmic matrimonial sense la intervenció de les altres persones que hagin atorgat els capítols, però aquestes poden revocar o deixar sense efecte les liberalitats efectuades per raó del règim econòmic pactat (art. 231-23 CCCat).

En tot cas, la modificació del règim econòmic matrimonial no afecta els drets adquirits per terceres persones (art. 231-24 CCCat).

Quant al règim d'ineficàcia dels capítols s'ha de distingir la ineficàcia derivada de la nul·litat del matrimoni, la separació o del divorci i la derivada de la invalidesa (nul·litat o anul·labilitat) de les capitulacions.

Els capítols matrimonials queden sense efecte quan es declara nul el matrimoni, si hi ha separació legal o si el matrimoni es dissol per divorci. Amb tot, conserven l'eficàcia: a) el reconeixement de fills fet per qualsevol dels cònjuges; b) els pactes fets en previsió de la ruptura matrimonial; c) els pactes successoris; i d) els pactes que tenen els capítols com a instrument merament documental (art. 231-26 CCCat).

D'altra banda, la inobservança dels requisits de forma establerts en l'art. 231-22 CCCat determina la nul·litat absoluta dels capítols. En els casos de falta de capacitat de qualsevol dels atorgants, els capítols són anul·lables. I també són d'aplicació les regles generals de nul·litat dels contractes per pactes o estipulacions contraris a la llei.

3.4. Els pactes en previsió d'una ruptura matrimonial

El CCCat regula per primera vegada en el nostre ordenament els pactes en previsió d'una ruptura matrimonial, malgrat que sempre s'han considerat vàlids dins els límits establerts per la llei i l'ordre públic.

Els pactes en previsió d'una ruptura matrimonial es poden atorgar en capítols matrimonials o en una altra escriptura pública (art. 231-20.1 CCCat).

Malgrat el principi general que regeix aquesta matèria és el de la llibertat de pacte, l'art. 231-20.2 CCCat estableix una norma de caràcter proteccionista dirigida a garantir que els cònjuges entenen bé el contingut dels pactes que estan celebrant i les seves conseqüències. Així, disposa que quan els pactes en previsió d'una ruptura matrimonial es celebrin en escriptura pública, el notari, abans d'autoritzar-la, ha d'informar per separat cadascun dels atorgants sobre l'abast dels canvis que es pretenen introduir amb els actes respecte al règim legal supletori i els ha d'advertir de llur deure recíproc de proporcionar-se informació sobre el seu patrimoni, ingressos i expectatives econòmiques.

En la mateixa línia —garantir que s'entenen i es volen els efectes o conseqüències dels pactes— s'exigeix també que els pactes precisin amb claredat els drets que limiten o als quals es renuncia. I es requereix que els pactes d'exclusió o limitació dels drets tinguin caràcter recíproc, amb base al principi d'igualtat (art. 231-20.3 CCCat).

Però, a més, l'eficàcia dels pactes es subjecta a la presència de determinades circumstàncies. Així:

a) D'acord amb l'art. 231-20.4 CCCat, el cònjuge que pretengui fer valer un pacte en previsió d'una ruptura matrimonial té la càrrega d'acreditar que l'altra part disposava, en el moment de signar-lo, d'informació suficient sobre el seu patrimoni, els seus ingressos i les seves expectatives econòmiques, sempre que aquesta informació fos rellevant amb relació al contingut del pacte; i

b) L'art. 231-20-5 CCCat estableix que els pactes en previsió d'una ruptura matrimonial que en el moment en què se'n pretén el compliment siguin greument perjudicials per a un cònjuge no són ineficaços si aquest acredita que han sobrevingut circumstàncies rellevants que no es van preveure ni es podien raonablement preveure en el moment en què es van atorgar.

Quan es tracti de pactes avantnupcials, només són vàlids si s'atorguen abans dels trenta dies anteriors a la data de celebració del matrimoni (art. 231-20.1 *in fine* CCCat).

3.5 Els drets viduals familiars

L'extinció del règim matrimonial provoca sempre un canvi en les directrius econòmiques que governaven el matrimoni, però quan aquesta extinció es produeix per la dissolució del matrimoni per causa de mort d'un dels seus membres, la situació patrimonial del sobrevivent pot quedar seriosament afectada, particularment la del cònjuge supervivent que ha obtingut pocs ingressos o ha mancat d'ells durant el matrimoni, quan el règim econòmic que el regia era el de separació de béns. Per mitigar aquests efectes de la liquidació del règim de separació de béns en cas d'extinció per causa de mort, el legislador català ha introduït algunes mesures correctores entre les que es troben els anomenats drets viduals familiars, que venen a beneficiar el cònjuge supervivent. Són els anomenats dret al parament de l'habitatge i any de viduïtat.

El dret al parament de l'habitatge correspon al cònjuge supervivent, no separat legalment o de fet, a la mort dels seu consort, que es podrà quedar la propietat de les robes, del mobiliari i dels estris que formen el parament de l'habitatge conjugal. Els dits béns no es computen en el seu haver hereditari. No són objecte del dret de predetracció les joies, els objecte artístics o històrics, ni els altres béns del cònjuge premort que tinguin un valor extraordinari amb relació al nivell de vida del matrimoni i al patrimoni relicte. Tampoc no ho són els mobles de procedència familiar si el cònjuge premort n'ha disposat per actes d'última voluntat a favor d'altres persones (art. 231-30 CCCat).

La finalitat d'aquest dret és la d'evitar que la mort del consort alteri radicalment les condicions de vida del supervivent tant en l'àmbit patrimonial —permet conservar els béns necessaris per satisfer les seves necessitats bàsiques— com en l'àmbit personal afectiu —manté els béns que formaven part de la vida quotidiana amb el premort—.

Es coneix com a any de viduïtat o any de plor el dret del cònjuge supervivent no separat legalment o de fet que no sigui usufructuari universal del patrimoni del premort a continuar usant l'habitatge conjugal i a ésser alimentat a càrrec d'aquest patrimoni, d'acord amb el nivell de vida que havien mantingut els cònjuges i amb la importància del patrimoni. Aquest dret és independent dels altres que li corresponguin en virtut de la defunció del premort (art. 231-31.1 CCCat).

Es tracta d'un benefici vidual d'urgència i de durada limitada, per tal que durant el primer any de viduïtat el consort supervivent pugui viure en consonància amb la seva posició social i la quantia del patrimoni del premort (STSJC de 8 de juny de 1993).

Aquest dret es perd si durant l'any següent a la mort o declaració de mort del seu cònjuge, el supervivent es torna a casar o passa a viure maritalment amb una altra persona, i també si abandona o negligeix greument els fills comuns en potestat parental. En cap cas no està obligat a tornar l'import dels aliments percebuts (art. 231-31.2 CCCat).

Són causes d'extinció dels drets viduals familiars el transcurs del termini d'un any de caducitat sense reclamar-los, la renúncia del cònjuge supervivent i la mort del cònjuge beneficiari.

Lliçó 9

EL RÈGIM ECONÒMIC MATRIMONIAL (I): SEPARACIÓ DE BÉNS

Judith Solé Resina

1. EL RÈGIM ECONÒMIC MATRIMONIAL: CONCEPTE, CLASSES, CARÀCTERS

El matrimoni, en tant que crea una comunitat de vida entre els cònjuges, genera necessitats compartides dels seus membres i dona lloc a relacions patrimonials entre els cònjuges i entre aquests i terceres persones. Per aquesta raó, l'ordenament jurídic, al regular la institució del matrimoni, estableix les regles econòmiques que el regeixen, que configuren el que s'anomena "règim econòmic matrimonial".

El règim econòmic matrimonial és doncs la solució que ofereix l'ordenament jurídic a l'ordenació del matrimoni, tant en l'àmbit intern de les relacions econòmiques entre els cònjuges i la contribució a les necessitats de la família, com en l'extern de les relacions econòmiques amb terceres persones i la responsabilitat dels cònjuges pels deutes familiars.

Existeixen bàsicament dos tipus de règims econòmics matrimonials: els que es fonamenten en la comunitat dels béns dels cònjuges i aquells en els que regeix la separació de béns.

Els règims comunitaris es caracteritzen perquè, es crea un patrimoni comú a ambdós cònjuges que és el que es destina, fonamentalment, al sosteniment de les càrregues familiars. Dins dels règims comunitaris es pot distingir, en atenció al grau de comunicació dels béns, els règims de comunitat universal, en els que tots els béns esdevenen comuns, i els de comunitat parcial o relativa, que originen l'existència de tres masses patrimonials, una de cadascun dels cònjuges i una de comuna. Cada una d'aquestes masses estarà formada pels béns que correspongui d'acord amb els pactes establerts entre els cònjuges i el que disposa la llei. D'altra banda, cadascuna de les masses privatives respondrà, preferentment, dels deutes que tinguin aquesta caràcter, mentre que la massa comuna haurà de fer front als deutes familiars. Amb tot, regeixen els principis de coadministració i cogestió de la massa comuna, de manera que, per regla general, els actes d'administració o disposició dels béns comuns precisen del consentiment d'ambdós cònjuges. La liquidació del règim obliga a repartir entre els cònjuges els béns que configuren la massa comuna per meitats o en un altre percentatge prèviament convingut.

Front els règims comunitaris, el de separació de béns es caracteritza perquè es distingeixen únicament dues masses patrimonials privatives. A manca de massa comuna, els cònjuges estan obligats a contribuir a les càrregues familiars segons hagin acordat i, a falta de pacte, d'acord amb el que estableix la llei, i responen solidàriament dels deutes familiars. La gestió i l'administració de les masses privatives correspon en exclusiva al seu titular. Les operacions de liquidació del règim, en principi, es limiten a fer efectius els crèdits que puguin existir entre les masses privatives dels cònjuges i a favor o en contra de tercers.

També existeixen règims econòmics matrimonials mixtes que presenten notes característiques dels règims comunitaris i dels de separació. Com el de participació en els guanys, que comparteix les característiques pròpies del règim de separació mentre està vigent, però que tendeix a la comunicació de béns en el moment de la seva liquidació, quan un dels cònjuges, el que ha obtingut menys guanys constant el matrimoni, té un dret de crèdit enfront l'altre, que ha guanyat més.

Cap règim es pot predicar millor o més avantatjós que un altre amb caràcter general. És en consideració de cada matrimoni concret que s'ha de valorar quin resulta més convenient perquè respon en major mesura a les preferències dels cònjuges, atorga més agilitat a les seves actuacions, o produeix efectes més equitatius en el moment de la seva liquidació.

Els cònjuges, abans de contraure matrimoni, poden pactar el règim econòmic que més els convingui en capítols matrimonials (art. 231-10.1 CCCat). A falta de pacte, l'ordenament jurídic estableix un règim legal supletori, que regeix els matrimonis que no han exercitat aquesta facultat d'opció o no l'han exercitat vàlidament. Això sense perjudici que en tot moment els cònjuges el poden canviar optant per un règim diferent o introduint en el legal les oportunes modificacions.

La falta de capítols matrimonials comporta l'aplicació automàtica del règim econòmic matrimonial legal supletori, que regula, també, els efectes econòmics dels matrimonis que han atorgat capítols matrimonials que no contenen el pacte sobre la determinació de règim econòmic, i d'aquells que han atorgat capítols nuls per falta de capacitat dels atorgants o per defecte de forma o esdevenen ineficaços per circumstàncies sobrevingudes —condició resolutòria o termini final— (art. 231-10.2 CCCat).

Cal advertir que la matèria relativa als efectes patrimonials derivats del matrimoni ha constituït tradicionalment un dels continguts més significatius dels drets civils autonòmics que coexisteixen en el territori espanyol, que presenten una gran diversitat legislativa.

Als efectes de la determinació de la llei aplicable al matrimoni s'ha d'estar al que disposa l'art. 9.2 CC: 1) el matrimoni es regeix per la llei del veïnatge civil comú dels cònjuges al temps de contreure matrimoni quan aquesta coincideixi. Cal tenir en compte que el posterior canvi de veïnatge civil no comporta el corresponent canvi de règim econòmic matrimonial; 2) quan el veïnatge civil dels cònjuges sigui diferent el matrimoni es regeix per la llei personal o la de la residència habitual de qualsevol d'ells escollit per ambdós en document autèntic atorgat abans de la celebració del matrimoni; 3) a manca d'aquesta elecció, es regula per la llei de la residència habitual comuna immediatament posterior a la celebració; i 4) a manca d'aquesta residència, per la del lloc de celebració del matrimoni.

A Catalunya, el règim legal supletori és el de separació de béns dels cònjuges (art. 231-10.2 CCCat).

2. EL RÈGIM DE SEPARACIÓ DE BÉNS

Previ a l'estudi del règim de separació de béns convé fer dues advertències. En primer lloc, cal tenir present que les normes que el regulen (arts. 232-1 a 232-12 CCCat) s'han de posar en relació amb el que estableix el Capítol I Títol III sobre el matrimoni i les relacions econòmiques entre els cònjuges, per la qual cosa, caldrà fer certes matisacions a les regles generals que s'hi contenen. I d'altra banda, que aquests preceptes s'apliquen supletòriament al règim de participació en els guanys (que es tracta a la següent lliçó) d'acord amb el que disposa l'art. 232-13.3 CCCat.

2.1. Supòsits en els que la separació de béns regeix el matrimoni

El règim de separació de béns és el règim legal supletori a Catalunya (art. 231-10.2 CCCat). Això significa que regeix l'economia dels matrimonis catalans que es troben en algun dels següents supòsits:

a) No han celebrat capítols matrimonials

b) Han celebrat capítols matrimonials que esdevenen nuls, per exemple, per defecte de forma o manca de la capacitat necessària dels atorgants

c) Han celebrat capítols que mantenen la seva eficàcia malgrat que el pacte en el que es conté un determinat règim econòmic matrimonial és nul per no ser lícit

d) Els cònjuges han pactat en capítols atorgats abans o després del matrimoni que el règim que regeixi el seu matrimoni sigui el de separació de béns

e) Els cònjuges han dissolt el règim anterior i no n'han pactat un de nou.

2.2. Principis que el caracteritzen

El règim de separació de béns es basa, com el seu propi nom indica, en la separació i autonomia que s'estableix entre els patrimonis dels cònjuges, alhora que es caracteritza per la inexistència d'una massa patrimonial comuna. Això sense perjudici que a la pràctica, la comunitat de vida que origina el matrimoni expliqui i justifiqui la creació d'una comunitat d'interessos patrimonials entre els cònjuges, ja que és freqüent que aquests adquireixin conjuntament, per meitats indivises, béns durant el matrimoni o ingressin els seus salaris o rendes en comptes indistints.

El règim de separació de béns és el règim econòmic que ha regit tradicionalment la majoria dels matrimonis catalans. El règim de separació clàssic era el nomenat dotal —separació i dot— que amb el pas del temps ha anat evolucionant, fonamentalment degut a la caiguda en desús del dot i les institucions paradotals dirigides a configurar un patrimoni amb el que fer front a les despeses familiars. D'aquesta manera, el règim de separació dotal s'ha convertit en un règim de separació absoluta dels patrimonis dels cònjuges.

Davant la constatació que el règim de separació de béns absoluta pot afectar greument el cònjuge més dèbil econòmicament en el moment de la liquidació, el legislador ha anat introduint alguns instruments o mesures que mitiguen el seu rigor, com el dret a la compensació econòmica per raó del treball, en cas d'extinció del règim en vida d'ambdós cònjuges (al que ens referim més endavant) i l'usdefruit universal i la millora de la condició del supervivent en la successió intestada del cònjuge quan aquest s'extingeix per causa de mort.

2.3. Determinació de les masses patrimonials. La gestió dels béns privatius

L'art. 232-1 CCCat disposa que "En el règim de separació de béns, cada cònjuge té la propietat, el gaudi, l'administració i la lliure disposició de tots els seus béns, amb els límits que estableixi la llei".

En aquest règim econòmic matrimonial existeixen, doncs, únicament dues masses patrimonials que, d'acord amb l'art. 232-2 CCCat, es composen dels béns que cadascun dels cònjuges tenia quan es va celebrar el matrimoni i els que adquireixi després per qualsevol títol. Això suposa que es manté la titularitat dels béns (propietat) i l'autonomia dels cònjuges respecte el seu patrimoni, que abasta el gaudi, l'administració i la disposició dels seus béns.

En aquest sentit la RDGDEJ de 7 d'octubre de 2011 afirma que: "Per definició no hi ha patrimonis separats de cada un dels esposos i del matrimoni com a tal, sinó que cada un dels dos té els seus propis béns, sense perjudici, és clar, de la possibilitat que n'adquireixin en comunitat ordinària per quotes iguals o desiguals".

Amb tot, els patrimonis dels cònjuges estan afectes a l'obligació de contribuir a les despeses familiars que estableix l'art. 231-6 CCCat, que s'haurà d'efectuar d'acord amb el que pactin els cònjuges, amb els recursos procedents de llur activitat o de llurs béns, en proporció a llurs ingressos i, si aquests no són suficients, en proporció a llurs patrimonis. D'aquests patrimonis es pot predicar la responsabilitat solidària pels deutes contrets per atendre les despeses familiars, d'acord amb l'art. 231-8 CCCat.

També la lliure administració i la lliure disposició dels béns s'han de posar en relació amb el contingut de les disposicions generals del matrimoni. D'una banda, es troben afectats pel deure d'informació recíproca en la gestió domèstica que imposa als cònjuges l'art. 231-7 CCCCat com a conseqüència lògica de la responsabilitat solidària per les despeses familiars. D'una altra, les facultats dispositives relatives a l'habitatge familiar estan limitades, de forma que els actes jurídics que en comprometen l'ús requereixen (com vam veure en la lliçó anterior) el consentiment del cònjuge no titular, o en el seu defecte, autorització judicial (art. 231-9 CCCat).

En tot cas, els cònjuges podran establir en capítols matrimonials els pactes que tinguin per convenient sobre la gestió dels seus patrimonis privatius (art. 231-19 CCCat) amb el límit del respecte al principi d'igualtat jurídica dels cònjuges (art. 32 CE i 231.2 CCCat). Conseqüència de l'autonomia patrimonial és que cadascun dels cònjuges administra el seu patrimoni, però és possible que un d'ells administri el patrimoni de l'altre si així s'ha convingut, cas en el que seran d'aplicació les normes generals sobre la gestió de negocis aliens (art. 231-4 CCCat). I això sense que aquestes convencions desnaturalitzin el règim econòmic de separació de béns.

2.4. Presumpcions de titularitat

En el règim econòmic de separació de béns, els béns que adquireix cadascun dels cònjuges passen a formar part de la seva massa privativa (art. 232-2 CCCat) de manera que l'existència d'un títol adquisitiu a favor d'un dels consorts determina que el bé s'inclogui en el seu patrimoni.

A l'hora de determinar a qui pertany un bé adquirit de forma onerosa, no obstant, hi poden haver dubtes. Així, quan no consta la seva titularitat, quan constant aquesta es dubte de quin patrimoni s'ha invertit per l'adquisició, o quan malgrat que consten ambdues circumstàncies i es demostra que la contraprestació prové del patrimoni del cònjuge no titular, no està clar a quin patrimoni s'ha d'atribuir la titularitat.

Els arts. 232-3 i 232-4 CCCat estableixen un seguit de presumpcions dirigides a determinar la titularitat dels béns dels cònjuges casats en separació de béns en els casos dubtosos. Aquests preceptes tracten de donar resposta als problemes de determinació de les respectives masses patrimonials que es solen presentar en el moment de la liquidació del règim.

Pel supòsit que consti la titularitat d'un determinat bé adquirit durant el matrimoni de forma onerosa per un dels cònjuges, l'art. 232-3.1 CCCat estableix la presumpció *iuris tantum* de que el bé s'ha pagat amb diners de l'adquirent. En aquest sentit disposa que "Els béns adquirits a títol onerós durant el matrimoni pertanyen al cònjuge que consti com a titular".

Aquesta presumpció admet prova en contrari. És possible, doncs, que qualsevol interessat (cònjuge o tercer creditor) demostri que la contraprestació prové, en realitat, del patrimoni del cònjuge no titular; és a dir, que malgrat que un dels cònjuges consta com a titular del bé adquirit de forma onerosa, la contraprestació satisfeta prové de l'altre. En aquests casos, els problemes que es plantegen en ordre a la determinació de la titularitat del bé es podrien solucionar, bé establint la titularitat a favor de qui apareix com a titular en el títol d'adquisició (principi de titularitat formal), bé a favor de qui efectivament ha fet front o a càrrec de qui ha anat la contraprestació (principi de subrogació real). El Codi Civil de Catalunya opta pel principi de titularitat formal, de manera que serà titular qui aparegui com tal en el títol adquisitiu del bé i no qui ha fet efectiva la contraprestació.

Una segona presumpció, en odre a la determinació de la titularitat dels béns en règim de separació de béns, es troba en el darrer incís de l'art. 232-3.1 CCCat, que disposa que "Si es prova que la contraprestació es va pagar amb béns o diners de l'altre cònjuge, se'n presumeix la donació". Es tracta, novament, d'una presumpció *iuris tantum*, que admet prova en contrari. Cal advertir que en el cas que efectivament es demostri la falta d' *animus donandi* del cònjuge que ha fet front a la contraprestació, naixerà un dret de crèdit al seu favor, però la titularitat del bé es mantindrà en l'adquirent.

Amb tot, com excepció a la regla general, l'art. 232-3.2 CCCat estableix la presumpció de cotitularitat dels béns de valor ordinari i d'ús familiar, amb independència de quina sigui la titularitat formal. En aquest sentit disposa que "Si és dubtós a quin dels cònjuges pertany algun bé o dret, s'entén que correspon a ambdós per meitats indivises. Tanmateix, es presumeix que els béns mobles d'us personal d'un dels cònjuges que no siguin d'extraordinari valor i els que estiguin directament destinats a l'exercici de la seva activitat li pertanyen exclusivament".

Les presumpcions de comunitat i d'exclusivitat dels béns establertes en l'art. 232-4 CCCat són també presumpcions *iuris tantum* que admeten prova en contrari.

2.5. Causes d'extinció del règim de separació de béns

El règim de separació de béns s'extingeix per mort o declaració de mort d'un dels cònjuges, quan els cònjuges pacten un règim econòmic diferent en capítols matrimonials, per sentència de divorci, per declaració de nul·litat matrimonial, i en els casos de separació legal.

Un cop extingit el règim per qualsevol d'aquestes causes s'ha de procedir a la seva liquidació per acord entre els interessats o per resolució judicial, dictada en judici ordinari declaratiu o en els procediments especials de separació, divorci o nul·litat matrimonial.

2.6. Liquidació del règim

La liquidació del règim econòmic matrimonial comporta la realització d'un seguit d'operacions mitjançant les quals es procedeix a fixar l'estat i el contingut dels patrimonis dels cònjuges i les relacions de crèdit/deute existents i, si escau, a la divisió de les comunitats que s'hagin originat entre elles.

La liquidació del règim de separació de béns consisteix en la determinació del contingut de cadascuna de les masses privatives dels cònjuges tenint en compte les presumpcions establertes en els arts.

232-3 i 232-4 CCCat i la realització dels possibles crèdits que s'hagin generat entre elles. Cal valorar, també si procedeix o no la compensació econòmica per raó de treball de l'art. 232-5 CCCat i, si escau, la seva quantia.

En relació amb els béns que els cònjuges tinguin en comunitat ordinària indivisa, l'art 232-12CCCat diu que els cònjuges podran exercitar l'acció de divisió de la cosa comuna, simultàniament als procediments de separació, divorci o nul·litat i d'execució en l'ordre civil de les resolucions o les decisions eclesiàstiques. Si hi ha diversos béns en comunitat ordinària indivisa i un dels cònjuges ho demana, l'autoritat judicial els pot considerar en conjunt als efectes de formar lots i adjudicar-los.

La jurisprudència s'ha encarregat de posar de manifest que també els procediments de modificació de mesures són idonis per l'exercici de l'acció de divisió de la cosa comuna (SAP Barcelona (Sec 12ª) 600/2012, de 10 de juliol).

En els casos de mutu acord, la liquidació del règim i la divisió del béns es podrà efectuar en el conveni regulador. En els procediments contenciosos, la sentència acordarà la liquidació i fixarà les bases de la mateixa, que es practicarà en els tràmits d'execució de sentència. Això sense perjudici que també es pugui exercir l'acció declarativa ordinària de divisió de cosa comuna.

Convé advertir que, d'acord amb el que disposa l'art. 95 CC quan es declari la nul·litat del matrimoni, el cònjuge de bona fe podrà optar per liquidar el règim econòmic que regeix el seu matrimoni —en aquest cas el de separació de béns— d'acord amb les normes establertes per la liquidació del règim de participació en els guanys (arts. 232-18 a 232-24 CCCat) i el de mala fe no tindrà dret a participar en els guanys obtinguts pel seu consort.

2.7. La compensació econòmica per raó de treball

2.7.1. Requisits

L'art. 232-5 CCCat atorga al cònjuge que ha treballat per a la casa substancialment més que l'altre, o que ha treballat per l'altre cònjuge sense retribució o amb una retribució insuficient, el dret a rebre una compensació econòmica per aquesta dedicació sempre que en el moment d'extinció del règim per separació, divorci, nul·litat o mort d'un dels cònjuges o, si s'escau, del cessament efectiu de la convivència, l'altre hagi obtingut un increment patrimonial superior.

La compensació econòmica per raó del treball es configura com una mesura dirigida a mitigar els efectes de la liquidació del règim de separació de béns —és un factor corrector—. Amb ella, després de l'extinció del règim, el cònjuge econòmicament més feble pot resultar creditor d'una compensació econòmica a càrrec del cònjuge econòmicament més fort. Persegueix, en definitiva, la comunicació de béns entre les masses patrimonials que, d'una altra manera, es mantindrien inalterades després de la liquidació.

D'acord amb el que estableix l'art. 232-5 CCCat, per tal que es generi el dret a la compensació econòmica per raó del treball cal que en el moment de l'extinció del règim de separació de béns concorrin els següents requisits:

a) Que el cònjuge creditor hagi treballat substancialment més que l'altre per la casa o que hagi treballat per l'altre cònjuge sense retribució o amb retribució insuficient. Per treballar per la casa s'ha d'entendre la realització de feines domèstiques i la cura dels fills o altres membres de la família que convisquin amb els cònjuges. El treball per l'altre cònjuge es tradueix en la col·laboració en la seva professió o empresa; i

b) Que en el moment de l'extinció del règim l'altre cònjuge hagi obtingut un increment patrimonial superior al que ha treballat per ell o per la llar, és a dir, hagi obtingut més guanys constant el règim.

2.7.2. Determinació de la quantia

Es disposen les següents regles de càlcul de la quantia de la compensació econòmica per raó de treball:

1.–L'art. 232-5.3 CCCat estableix el criteri de la quantitat del treball prestat —durada i intensitat de la dedicació— que haurà d'ajudar a ponderar la quantia de la compensació. En aquest sentit disposa que "Per a determinar la quantia de la compensació econòmica per raó de treball, s'ha de tenir en compte la durada i la intensitat de la dedicació, atesos els anys de convivència i, concretament, en cas de treball domèstic, el fet que hagi inclòs la criança de fills o l'atenció personal a altres membres de la família que convisquin amb els cònjuges".

2.–L'art. 232-5.4 CCCat estableix un límit màxim a la compensació de la quarta part de la diferència entre els increments patrimonials dels cònjuges, amb l'excepció dels supòsits en que el cònjuge creditor aconsegueixi demostrar que la seva contribució ha estat notablement superior. En aquest sentit disposa que "La compensació econòmica per raó de treball té com a límit la quarta part de la diferència entre els increments dels patrimonis dels cònjuges, calculada d'acord amb les regles que estableix l'art. 232-6. Tanmateix, si el cònjuge creditor prova que la seva contribució ha estat notablement superior, l'autoritat judicial pot incrementar aquesta quantia".

3.–L'art. 232-6 CCCat regula les regles de càlcul a utilitzar en la determinació de la compensació econòmica per raó del treball. Disposa com determinar els increments patrimonials dels cònjuges calculant el patrimoni final i el patrimoni inicial de cadascú i fent la diferència. Així:

El patrimoni de cadascun dels cònjuges està integrat pels béns que tingui en el moment de l'extinció del règim o, si s'escau, del cessament efectiu de la convivència, una vegada deduïdes les càrregues que els afectin i les obligacions. S'ha d'afegir al patrimoni de cadascun dels cònjuges el valor dels béns dels quals hagi disposat a títol gratuït, calculat en el moment de transmetre'ls, excloses les donacions fetes als fills comuns i les liberalitats d'ús, i també el valor del detriment produït per actes fets amb la intenció de perjudicar l'altre cònjuge. A continuació s'ha de descomptar del patrimoni de cadascun dels cònjuges el valor dels béns que tenia en començar el règim i que conserven el moment en què s'extingeix, una vegada deduïdes les càrregues que els afectin, i també el valor dels adquirits a títol gratuït durant la vigència del règim i les indemnitzacions per danys personals, exclosa la part corresponent al lucre cessant durant el temps de convivència. Cal tenir en compte que les atribucions patrimonials que el cònjuge deutor hagi efectuat al cònjuge creditor durant la vigència del règim s'imputen a la compensació pel valor que tenen en el moment de l'extinció del règim.

La quantia de la compensació també pot resultar del pacte entre les parts. En aquest sentit l'art. 232-7 CCCat disposa que "En previsió d'una ruptura matrimonial o de dissolució del matrimoni per mort, hom pot pactar l'increment, la reducció o l'exclusió de la compensació econòmica per raó de treball d'acord amb el que estableix l'article 231-20".

2.7.3. Pagament de la compensació

La compensació econòmica per raó de treball s'ha de pagar e diners, llevat que les parts acordin una altra cosa. Amb tot, s'admet que per causa justificada i a petició de qualsevol de les parts o dels hereus del cònjuge deutor l'autoritat judicial ordeni el pagament total o parcial en béns (art. 232-8.1 CCCat).

D'altra banda, el pagament es realitzarà en principi d'immediat i d'un sol cop però, a petició del deutor o dels seus hereus, l'autoritat judicial pot aplaçar el pagament de la compensació o ordenar que es faci a terminis, amb un venciment màxim de tres anys i la meritació de l'interès legal a comptar del reconeixement. L'autoritat judicial també pot acordar en aquest darrer cas la constitució d'hipoteca o qualsevol altra garantia a favor del cònjuge creditor (art 232-8.2 CCCat).

L'art. 232-9 CCCat disposa un seguit de previsions per a protegir el dret a la compensació dels actes que en el seu perjudici pugui realitzar el cònjuge deutor. En aquest sentit estableix que quan en el patrimoni del cònjuge deutor no existeixen béns suficients per satisfer la compensació, el creditor pot demanar la reducció o supressió de les donacions i les atribucions particulars en pacte successori fetes que aquell durant la vigència del règim, començant per la més recent i continuant per la següent per ordre invers a les dates. La reducció s'ha de realitzar a prorrata si la data és la mateixa o és indeterminada. El creditor també pot impugnar els actes a títol onerós realitzats pel deutor en frau del seu dret. Aquestes accions caduquen als quatre anys de l'extinció del règim i no procedeixen quan els béns es trobin en poder de tercers adquirents de bona fe.

2.7.4. Exercici del dret a la compensació

La compensació econòmica per raó de treball s'ha de reclamar en el procediment que causa l'extinció del règim en cas de nul·litat del matrimoni, separació o divorci i, en cas de resolucions o decisions eclesiàstiques, en el procés adreçat a obtenir-ne l'eficàcia civil (art. 232-11.1 CCCat).

En cas d'extinció del règim de separació de béns per dissolució del matrimoni per causa de mort, la pretensió prescriu als tres anys des de la mort del cònjuge (art. 232-11.2 CCCat).

2.7.5. Compatibilitat amb altres drets

D'acord amb l'art. 232-10 CCCat la compensació econòmica per raó de treball és compatible amb altres drets de caràcter econòmic que corresponen al cònjuge creditor i s'ha de tenir en compte per a fixar aquests drets i, si escau, per modificar-los.

D'aquesta manera s'estableix una seqüència lògica a l'hora de determinar si procedeixen i en quina mesura els diferents drets econòmics a favor dels cònjuges. Tingui's en compte que la realització de la compensació econòmica per raó del treball originarà una variació en la composició dels patrimonis, atès que un d'ells disminueix a favor de l'altre. Per aquest motiu, la fixació de la quantia de la compensació per raó de treball ha de precedir a l'estimació de si procedeix o no el dret a la prestació compensatòria que pren en consideració, entre altres dades, la situació econòmica resultant per els cònjuges.

Quan la causa de l'extinció del règim de separació de béns és la mort, el dret a la compensació econòmica del cònjuge supervivent es condiciona al fet que els béns que el causant li hagi atribuït, en la successió voluntària o els que li corresponguin en la successió intestada, no cobreixin l'import que li correspondria (art. 232-5.5 CCat). D'aquesta manera s'evita la mera acumulació de drets que únicament poden coexistir quan el valor de tot el que rep el cònjuge supervivent en concepte de drets successoris és inferior al que li correspon en concepte de compensació, cas en el que podrà reclamar la diferència. Amb tot, es planteja un important problema de càlcul quan es tracta de determinar els drets successoris sense conèixer el resultat de la liquidació del règim de separació.

Lliçó 10
EL RÈGIM ECONÒMIC MATRIMONIAL (II): PARTICIPACIÓ EN ELS GUANYS, ASSOCIACIÓ A COMPRES I MILLORES, CONVINENÇA

Judith Solé Resina

1. EL RÈGIM DE PARTICIPACIÓ EN ELS GUANYS. CARACTERÍSTIQUES. RÈGIM JURÍDIC

D'acord amb l'art. 232-13.1 CCCat: "El règim econòmic matrimonial de participació en els guanys atribueix a qualsevol dels cònjuges, en el moment en que s'extingeix el règim, el dret a participar en l'increment patrimonial obtingut per l'altre durant el temps que aquest règim hagi estat vigent".

D'aquesta manera, el règim de participació en els guanys, es configura com un règim de separació de béns mixtificat o mitigat perquè mentre subsisteix el matrimoni, les relacions patrimonials es regulen pràcticament com si s'estigués en un règim de separació de béns, però en el moment de la seva extinció s'apliquen solucions pròpies dels règims comunitaris que tendeixen a la comunicació de béns entre els cònjuges. Gaudeix així dels avantatges que caracteritzen el règim de separació de béns pel que fa a la independència econòmica dels cònjuges i la simplicitat de les operacions de la liquidació, alhora que evita el seu principal inconvenient, per quant a l'extinció del règim es produeix normalment una comunicació de béns —guanys— en favor del cònjuge econòmicament més dèbil.

En el règim de participació en els guanys no existeix una comunitat de béns vigent el matrimoni, i és que a diferència del que succeeix en els règims comunitaris, en aquest els cònjuges no són cotitulars d'uns béns que s'han de liquidar en el moment de l'extinció del règim. Pertanyen a cada cònjuge els béns que tenien abans del matrimoni i els seus fruits i també els que adquireixin després per qualsevol títol. El dret a la participació en els guanys que s'origina en favor d'un dels cònjuges és exigible solament en el moment de l'extinció del règim econòmic matrimonial: es tracta d'un dret de crèdit (mentre el règim és vigent es tracta en realitat d'una expectativa de dret recíproca), a favor del cònjuge que durant el matrimoni a obtingut un menor increment patrimonial.

El règim de participació en els guanys té, en el dret civil català, caràcter voluntari, de manera que solament regeix el matrimoni quan així ho hagin acordat els cònjuges en capítols matrimonials. En el mateix pacte en el que convenen el règim de participació, els cònjuges es poden atribuir una participació en els guanys d'un 50% de l'increment patrimonial o distinta de la meitat, i també poden no fer referència al percentatge de la participació. En aquest darrer cas s'interpreta que és per meitats, igual que si el pacte en que s'estableix un altre percentatge resulta invàlid. En tot cas, els pactes que atribueixen una participació en les guanys diferent a la meitat de l'increment patrimonial solament són vàlids si s'estableixen amb caràcter recíproc i igual a favor de qualsevol dels cònjuges (art. 232-15 CCCat).

L'escriptura de constitució del règim de participació en els guanys s'ha d'acompanyar d'un inventari del patrimoni inicial de cada cònjuge, en el qual s'han de ressenyar els béns, indicant-ne l'estat material, les càrregues i les obligacions (art. 232-14 CCCat). Aquest inventari possibilita en el moment de l'extinció del règim determinar quin és l'increment patrimonial obtingut per cadascun dels cònjuges durant el matrimoni.

Pel que fa a les fonts de la seva regulació, el règim de participació en els guanys es regeix pel que hagin acordat les parts en els capítols matrimonials; en defecte de pacte, per les disposicions dels arts. 232-13 a 232-24 CCCat i en darrer terme, per les normes del règim de separació de béns (art. 232-13.3 CCCat). Per bé que en aquest últim cas, l'aplicació de les normes del règim de separació s'ha d' efectuar respectant els principis que informen el règim de participació —de solidaritat o reequilibri patrimonial entre els cònjuges— i en la mesura que resultin compatibles amb aquests.

Mentre el règim de participació és vigent, cada cònjuge té la propietat, el gaudi, l'administració i la lliure disposició dels seus béns, però té el deure d'informar adequadament l'altre de la seva gestió patrimonial (art. 232-13.2 CCCat). El deure d'informar de la gestió patrimonial que s'imposa als cònjuges es fonamenta en l'expectativa de la participació en els guanys de l'altre i, per aquest motiu, l'incompliment d'aquest deure per part d'un dels cònjuges legitima l'altre per exigir judicialment l'extinció anticipada del règim de participació (art. 232-16.2 b).

2. EXTINCIÓ DEL RÈGIM DE PARTICIPACIÓ

D'acord amb l'art. 232-16.1 CCCat són causes d'extinció del règim de participació en els guanys: a) la nul·litat o la dissolució del matrimoni o la separació legal; i b) l'acord dels cònjuges per mitjà del qual estipulen en capítols matrimonials un règim diferent. De fet, aquestes són causes generals d'extinció de qualsevol règim econòmic matrimonial.

El règim de participació en els guanys també s'extingeix per resolució judicial, a petició d'un dels cònjuges, si es produeix alguna de les circumstàncies següents (art. 232-16.2 CCCat):

a) La separació de fet per un període superior a sis mesos. Aquesta causa es justifica en el fet que la ruptura de la comunitat de vida treu sentit a l'aplicació dels principis de solidaritat i comunicació de béns que regeixen el règim de participació.

b) L'incompliment greu o reiterat pel cònjuge del deure d'informar adequadament a l'altre cònjuge, que estableix l'art. 232-13.2 CCCat, i que es fonamenta en l'expectativa de dret de participació que tenen els cònjuges vigent el règim.

c) La gestió patrimonial irregular o supervenció d'alguna circumstància personal o patrimonial en l'altre cònjuge que comprometi greument els interessos de qui sol·licita l'extinció, com pot ser la modificació judicial de la capacitat, la declaració d'absència o la declaració de concurs de l'altre cònjuge.

Si el règim de participació en els guanys s'extingeix per resolució judicial, els efectes de l'extinció es retrotrauen al moment de la presentació de la demanda. I amb la finalitat d'evitar que en les situacions de crisi matrimonial el cònjuge creditor perjudiqui al deutor amb actes fraudulents dirigits a disminuir els seus guanys, a petició d'un dels cònjuges o dels seus causahavents, es preveu que l'autoritat judicial pugui acordar la retroacció dels efectes de l'extinció a la data en què va cessar la convivència (art. 232-17 CCCat).

3. LIQUIDACIÓ. EL CRÈDIT DE PARTICIPACIÓ

En la liquidació del règim de participació en els guanys s'han d'efectuar un seguit d'operacions contables dirigides a determinar si s'origina el crèdit de participació i quina és la seva quantia.

L'art. 232-18 CCCat estableix que "El règim de participació en els guanys, una vegada extingit, s'ha de liquidar per a fixar el crèdit de participació, establint la diferència entre el patrimoni final i l'inicial de cada cònjuge". Malgrat que, com veurem tot seguit, no es tracta exactament de posar en relació la situació patrimonial de cada cònjuge en el moment d'iniciar-se i extingir-se el règim, perquè la llei disposa quins béns s'han de deduir i quin s'han d'afegir al patrimoni que cadascun d'ells té al temps de començar i finalitzar el règim, als efectes de determinar els guanys.

Amb relació a la determinació del patrimoni final de cada cònjuge, l'art. 232-19.1 CCCat estableix que comprèn tots els béns que li pertanyin en el moment de l'extinció del règim en l'estat material en què es trobin, una vegada deduïdes les càrregues que els afectin i les obligacions, i exclosos els béns comprats amb pacte de supervivència. I a aquest patrimoni s'hi ha d'afegir (art. 232-19.2 CCCat):

a) El valor dels béns dels quals s'hagi disposat a títol gratuït durant la vigència del règim, d'acord amb l'estat material en què es trobaven en el moment de disposar-ne, amb l'excepció de les liberalitats d'ús i de les donacions que l'altre cònjuge hagi consentit. Es tracta de béns que en el moment de l'extinció del règim s'haurien de trobar en el patrimoni dels cònjuges per tal de no perjudicar les expectatives de dret de l'altre, però que no hi són. Amb tot, les disposicions a títol gratuït conserven a seva eficàcia tret que no existeixin prou béns per satisfer el crèdit de participació, cas en el que el creditor pot exercitar l'acció de rescissió (art. 232-24 CCCat). La tutela de l'expectativa de dret del consort es materialitza així amb la integració del valor corresponent en el patrimoni final de l'alienant.

b) El valor dels béns dels quals s'hagi disposat a títol onerós durant la vigència del règim per a disminuir fraudulentament els guanys, d'acord amb l'estat material en que es trobaven en el moment d'alienar-los i amb independència del preu que s'hagi fet constar, i també el valor de les obligacions o dels gravàmens constituïts fraudulentament. Aquesta previsió es dirigeix als actes efectuats amb la intenció de defraudar al cònjuge i no als actes de disposició simulats als que s'apliquen les normes pròpies de la simulació.

c) El valor dels béns destruïts o deteriorats per disminuir fraudulentament els guanys, que perjudiquen a l'altre cònjuge.

El valor dels béns és el que tenen en el moment en què s'extingeix el règim, tenint en compte l'estat material en què es trobaven a l'inici del règim i, quant als adquirits a títol gratuït, l'estat material en què es trobaven en el moment d'adquirir-los (art. 232-19.3 CCCat).

En relació a la determinació del patrimoni inicial de cada cònjuge, l'art. 232-20.1 CCCat disposa que comprèn tots els béns que li pertanyien en el moment de començar el règim, una vegada deduïdes les càrregues que els afectaven i les obligacions. Si el passiu del patrimoni inicial és superior a l'actiu, s'ha de computar el valor negatiu, llevat que les parts acordin una altra cosa. Essent així a l'extinció del règim per al càlcul dels guanys s'ha de considerar el que cada cònjuge té i el que devia i ja no deu. I a aquest resultat s'ha d'afegir (art. 232-20.2 CCCat):

a) El valor dels béns adquirits a títol lucratiu durant la vigència del règim, una vegada deduïdes les càrregues que els afectaven.

b) Les indemnitzacions per danys personals, exclosa la part corresponent al lucre cessant durant el temps de vigència del règim.

El valor dels béns és el que tenen en el moment en què s'extingeix el règim, tenint en compte l'estat material en què es trobaven a l'inici del règim i, quant als adquirits a títol gratuït, l'estat material en que es trobaven en el moment d'adquirir-los (art. 232-20.3 CCCat). Així les plusvàlues que experimenten els béns no es consideren guanys i beneficien únicament al cònjuge titular.

Per acreditar els béns que integraven els patrimonis a l'inici del règim, s'utilitzarà l'inventari que va acompanyar l'escriptura de constitució del règim de participació en els guanys, que conté una relació dels béns i una descripció precisa del seu estat material i jurídic (art. 232-14 CCCat).

Un cop determinats el patrimoni final i el patrimoni inicial de cada cònjuge, es calculen els increments patrimonials restant un de l'altre i es comparen establint la diferència, que s'haurà de distribuir reconeixent a un dels cònjuges el corresponent crèdit de participació sobre la meitat de l'increment patrimonial de l'altre o de la diferència entre increments patrimonials o, si s'escau, sobre un altre percentatge.

A falta de pacte en contrari, el crèdit de participació es determina d'acord amb el que disposa l'art. 232-21 CCCat:

a) Si únicament un dels cònjuges ha obtingut un increment patrimonial, calculat per la diferència entre el patrimoni final i l'inicial, l'altre o els seus successors tenen dret a la meitat del valor d'aquest increment.

b) Si ambdós cònjuges han obtingut un increment patrimonial, qui n'hagi obtingut menys, o els seus successors, tenen dret a la meitat de la diferència entre el valor del seu propi increment i el de l'altre cònjuge.

c) Si cap dels cònjuges no ha obtingut un increment patrimonial, no hi ha crèdit de participació.

Cal advertir que en el supòsit que el patrimoni inicial d'un dels cònjuges superi el patrimoni final, és a dir, que la diferència entre el patrimoni final i l'inicial doni un resultat negatiu, als efectes del còmput del crèdit de participació es considerarà que l'increment patrimonial és zero.

Un cop determinat el crèdit de participació es passa a la fase del pagament o compliment. D'acord amb l'art. 232-22.1 CCCat, el crèdit de participació s'ha de pagar en diners, llevat que les parts acordin una altra cosa. No obstant això, per causa justificada i a petició de qualsevol de les parts o de llurs hereus, l'autoritat judicial en pot ordenar el pagament total o parcial amb béns de la persona obligada. Seria una causa justificada que el creditor tingui un especial lligam afectiu en determinats béns o que alguns li resultin necessaris o útils pel desenvolupament de la seva professió, i també quan la posició deutora no disposa de líquid suficient per pagar el crèdit de participació en diners.

Precisament atenent a la possibilitat de rebre el pagament del crèdit de participació en béns, l'art. 232-22.2 CCCat preveu una regla especial en relació a l'adjudicació de l'habitatge familiar: "Si el règim s'extingeix per la mort d'un dels cònjuges i al supervivent li correspon el crèdit de participació, pot demanar que se li adjudiqui l'habitatge familiar en propietat o en usdefruit. Si el valor del bé o el dret adjudicat és superior al del crèdit de participació, l'adjudicatari ha de pagar la diferència en diners". L'especial relació del cònjuge supervivent amb l'habitatge familiar justifica que se'l prefereixi com adjudicatari en propietat o usdefruit enfront altres successors del cònjuge.

També per causa justificada i a petició del cònjuge deutor o dels seus hereus, l'autoritat judicial pot ajornar el pagament o ordenar que es faci a terminis amb un venciment màxim de tres anys i una meritació de l'interès legal a comptar del reconeixement. En aquest cas, l'autoritat judicial pot ordenar la constitució de garanties a favor del creditor (art. 232-22.3 CCCat)

El creditor o els seus successors poden demanar l'adopció de mesures cautelars, inclosa l'anotació preventiva d'embargament als registres públics, per a assegurar el pagament del crèdit de participació mentre es tramita llur reclamació (art. 232-23 CCCat).

I en el cas que en el patrimoni del cònjuge no hi hagin béns suficients per a satisfer el crèdit de participació, el creditor pot demanar la reducció o la supressió de les donacions i les atribucions particulars en pacte successori fetes per aquell durant la vigència del règim i fins que hagi estat liquidat, començant per la més recent, seguint per la següent més recent i així successivament, per ordre invers de data. La reducció es fa a prorrata si la data és la mateixa o és indeterminada. El creditor també pot impugnar els actes a títol onerós fets pel deutor en frau del seu dret. Aquestes accions caduquen al cap de quatre anys de l'extinció del règim i no són procedents quan els béns estan en poder de terceres persones adquirents a títol onerós i de bona fe (art. 232-24 CCCat). Així, malgrat que els béns disposats durant la vigència del règim a títol gratuït i els disposat a títol onerós per disminuir fraudulentament els guanys es comptabilitzen als efectes de determinar el patrimoni final de cadascun dels cònjuges, i els actes de disposició dels que són objecte conserven, en principi, la seva eficàcia, un cop determinat el crèdit de participació, s'obre la possibilitat d'impugnar-los.

4. L'ASSOCIACIÓ A COMPRES I MILLORES: CONCEPTE I RÈGIM JURÍDIC

L'associació a compres i millores i la convinença o mitja guadanyeria constitueixen els antecedents més remots, en el dret civil català, del règim de participació en els guanys, però cal advertir que es tracta d'unes institucions pràcticament en desús en l'actualitat.

L'art. 232-25.1 CCCat disposa que l'associació a compres i millores és pròpia del Camp de Tarragona i d'altres comarques, sense especificar quines són aquestes altres. Amb tot, per l'aplicació d'aquest règim és precís el pacte exprés en capítols matrimonials. És clar que també fora de l'àmbit geogràfic propi o originari d'aquest règim és possible pactar-lo, de manera que l'associació a compres i millores regirà un matrimoni quan així ho acordin els cònjuges en capítols matrimonials amb independència del lloc en el que aquest se celebri.

Les fonts que regulen l'associació a compres i millores són, per aquest ordre, els pactes de constitució del règim i els preceptes del Codi Civil de Catalunya que el regulen, el costum de la comarca i les disposicions del règim de participació en els guanys, en la mesura que ho permeti la seva naturalesa específica (art. 232-25.2 CCCat).

L'associació a compres i millores es pot configurar com un règim econòmic matrimonial o com una comunitat familiar. Com règim econòmic es pot constituir amb caràcter unilateral, de forma que només un dels cònjuges s'associa a l'altre en les compres i millores que aquest realitzi durant el matrimoni, o amb caràcter recíproc, quan ambdós cònjuges s'associen mútuament en aquestes compres i millores. Es constitueix com a comunitat familiar quan a més dels cònjuges s'associen ascendents d'un o altre cònjuge o d'ambdós, tant si han fet heretaments com si no (art. 232-25.3 CCCat).

En tot cas, els béns que integren l'associació són les compres, que són els béns que, constant l'associació, qualsevol de les persones associades adquireixi a títol onerós o obtingui per la seva activitat professional o treball (art. 232-25.4 CCCat) i les millores, que són els augments de valor dels béns de qualsevol dels associats deguts a impenses útils i a l'alliberament de càrregues i gravàmens (art. 232-25.5 CCCCat).

L'administració de l'associació a compres i millores correspon a la persona associada que s'indiqui en els capítols i, si no hi ha designacions, a tots els associats (art. 232-26.1 CCCat). L'administrador únic de l'associació pot disposar a títol onerós dels béns que la constitueixen, però no pot fiançar en nom de l'associació, si no és per a profit de la família (art. 232-26.2 CCCat).

Els deutes particulars de cada associat graven exclusivament la seva part (art. 232-26.3 CCCat), mentre que els deutes familiars afecten als béns comuns en la seva integritat.

Quant a les causes d'extinció de l'associació a compres i millores, a falta de normes específiques, regiran les causes d'extinció del règim de participació en els guanys (art. 232-26 CCCat).

La liquidació dels guanys de cada persona associada es refereix al moment de la seva mort o de l'extinció del règim (art. 232-27 CCCat). Tingui's en compte que la mort d'una de les persones associades únicament produeix l'extinció del règim si és un dels cònjuges. Altrament, si la persona que mor és un ascendent, únicament s'ha de procedir a liquidar els guanys corresponents a l'associat difunt.

Amb el propòsit d'evitar el fraccionament del patrimoni familiar, es preveu que els guanys es puguin liquidar en diners o altres béns de l'associació (art. 232-27 *in fine* CCCat). També, són d'aplicació a l'associació de compres i millores els articles 232-22 a 232-24 CCCat, relatius al pagament del crèdit de participació.

5. LA CONVINENÇA O MITJA GUADANYERIA: CONCEPTE I RÈGIM JURÍDIC

La convinença o mitja guadanyeria es troba regulada a l'art. 232-29 CCCat. El seu àmbit d'aplicació original és la Vall d'Aran, malgrat que només regeix el matrimoni si es pacta expressament en capítols matrimonials i res impedeix que es pugui acordar en un altre àmbit geogràfic.

Les fonts de regulació d'aquest règim econòmic són, per aquest ordre, els pactes establerts en la constitució del règim, les disposicions de l'art. 232-29 CCCat, el costum de la Vall d'Aran i el capítol X del privilegi de la Querimònia.

Es pot estructurar com un règim econòmic matrimonial, cas en el que afecta exclusivament als cònjuges, o com una associació en la que participen els progenitors i els fill o fins i tot persones estranyes —no parent—.

L'objecte de la comunitat són els béns guanyats i els que es guanyaran, és a dir, els béns adquirits pels atorgants a títol onerós o gratuït abans i durant la vigència del règim, i els augments millores o increments de valor tant del béns adquirits després de la constitució del règim com dels que ja tenien a l'inici d'aquest i conserven la qualificació de privatius.

Els cònjuges han de contribuir per parts iguals a pagar les despeses derivades del règim i el govern de la casa.

La liquidació es produeix quan a l'extinció del règim no hi ha fills comuns ni estranys amb els que es constituís l'associació, altrament aquesta continua amb ells com una associació familiar o com una societat civil. Quan es dissol el règim s'han de dividir els guanys i els augments.

Lliçó 11

EL RÈGIM ECONÒMIC MATRIMONIAL (III): COMUNITAT DE BÉNS, AGERMANAMENT

Judith Solé Resina

1. EL RÈGIM DE COMUNITAT DE BÉNS. CARACTERÍSTIQUES. RÈGIM JURÍDIC

El règim econòmic matrimonial de comunitat de béns és en el dret català un règim voluntari que únicament regeix el matrimoni quan així ho convinguin els cònjuges en capítols matrimonials. En aquest cas, les relacions econòmiques matrimonials es regulen, en primer lloc pel que s'hagi establert en els capítols matrimonials i supletòriament, per les normes previstes en el Codi Civil de Catalunya pel règim de comunitat de béns.

Dins els règims comunitaris es distingeixen els règims de comunitat universal, en els que tots els béns dels cònjuges —els presents i tots els que adquireixin en el futur a títol onerós o gratuït— es fan comuns i formen una única massa patrimonial comuna; i els de comunitat parcial o relativa, en els que existeixen tres masses patrimonials, una de cada cònjuge i una comuna, cadascuna d'elles està formada pels béns que correspongui d'acord amb els pactes establerts pels cònjuges i el que disposa la llei. D'altra banda, cada una de les masses patrimonials privatives respon, preferentment, dels deutes que tinguin aquest caràcter, mentre que la massa comuna ha de fer front als deutes familiars.

El règim econòmic matrimonial de comunitat de béns s'estructura en el Codi Civil de Catalunya com un règim de comunitat parcial o relativa. Es caracteritza per l'existència d'un patrimoni comú, que es composa dels guanys obtinguts indistintament per qualsevol dels cònjuges vigent el règim i els béns als que els cònjuges confereixin aquest caràcter i que passen a ser comuns, però es mantenen com a privatius la resta de béns que pertanyien a cada cònjuge abans de l'inici del règim.

Els cònjuges són cotitulars de la massa comuna sobre la que es crea una comunitat germànica: no existeixen quotes sobre cada un dels elements que la composen sinó sobre la globalitat del patrimoni comú.

D'acord amb l'art. 232-31 CCat, són béns comuns:

a) Els béns als quals els cònjuges confereixin aquest caràcter en el moment de convenir el règim o després.

b) Els guanys obtinguts per l'activitat professional o pel treball de qualsevol dels cònjuges.

c) Els fruits i les rendes de tots els béns, si no hi ha pacte en contra.

d) Els béns adquirits per subrogació real d'altres béns comuns, de forma que la contraprestació en les transmissions oneroses ocupa el lloc del bé comú alienat.

e) Els guanys obtinguts en el joc per qualsevol dels cònjuges.

Són, en canvi, béns privatius de cada cònjuge, d'acord amb l'art. 232-32 CCCat:

a) Els que pertanyien a cada cònjuge abans d'iniciar el règim, si no se'ls ha conferit el caràcter de comuns.

b) Els adquirits per donació o títol successori.

c) Els adquirits per subrogació real d'altres béns privatius, i així també aquí la contraprestació en les transmissions oneroses ocupa el lloc del bé alienat.

d) Les indemnitzacions per danys personals, exclosa la part corresponent al lucre cessant durant el temps de vigència del règim.

e) Els béns d'ús personal que no siguin d'un valor extraordinari i els estris necessaris per a exercir la professió, encara que l'adquisició s'hagi fet a càrrec dels béns comuns.

Si els béns necessaris per l'exercici de la professió s'han finançat amb el patrimoni comú, s'ha de reemborsar el preu d'adquisició. Per contra, l'adquisició de la roba i altres béns d'ús personal s'inclou dins del concepte de despeses familiars (art. 231-5 CCCat) per la qual cosa correrà a càrrec del patrimoni comú sense dret a reemborsament.

L'exclusió d'un bé o un dret de la comunitat de béns diferent dels expressament previstos per la llei és possible per pacte entre els cònjuges, però solament es oposable a terceres persones des que consta en els registres públics corresponents o des que la tercera persona coneix la condició privativa del bé.

2. ADMINISTRACIÓ I DISPOSICIÓ DELS BÉNS COMUNS I DELS BÉNS PRIVATIUS

En relació a la massa patrimonial comuna regeix el principi d'administració conjunta. En aquest sentit, l'art. 232-33.1 CCCat estableix que si no hi ha pacte, l'administració i la disposició dels béns comuns correspon als cònjuges conjuntament. La cogestió, però, no converteix en imprescindible la presència d'ambdós cònjuges en tots els actes d'administració, perquè és suficient l'actuació de qualsevol d'ells quan compte amb el consentiment de l'altre. En ocasions, a més, un dels cònjuges pot actuar unilateralment sense el consentiment de l'altre. Així, qualsevol dels cònjuges pot contraure obligacions en atenció al sosteniment de les despeses familiars (art. 232-33.2 CCCat). En aquests cassos, la legitimació per l'actuació unilateral es fonamenta en l'obligació de contribuir a les despeses familiars dels cònjuges sigui quin sigui el seu règim econòmic matrimonial.

També si un dels cònjuges exerceix una professió, indústria o comerç valent-se de béns comuns amb el consentiment de l'altre, pot fer tot sol, en relació als béns mobles que hi estiguin efectes, els actes d'administració i de disposició que siguin conseqüència de l'exercici normal d'aquella activitat (art. 232-33.3 CCCat). D'aquesta manera, el cònjuge que participa del beneficis obtinguts amb dita activitat suporta com a contrapartida els eventuals perjudicis que puguin derivar de la mateixa.

I en cas de manca de capacitat d'un dels cònjuges o d'impossibilitat de gestió conjunta, l'autoritat judicial pot conferir l'administració de la comunitat i la disposició dels béns comuns a un sol dels cònjuges. També pot autoritzar que un de sol faci actes dispositius, en interès de la família o si es produeix una altra causa justa, si l'altre no hi dóna el consentiment (art. 232-33.4 CCCat).

La falta de consentiment o autorització judicial en els casos en que és preceptiva converteix l'acte de disposició en un acte anul·lable a instància del cònjuge que no ha consentit o dels seus hereus i la seva impugnació produeix efectes restitutoris.

En relació a les masses patrimonials privatives, l'art. 233-34 CC-Cat estableix que cadascun dels cònjuges té l'administració i la lliure disposició dels seus béns dins els límits que estableixi la llei. De l'aplicació de les disposicions generals relatives al matrimoni resulten algunes limitacions en l'administració i disposició dels béns privatius. Així, el cònjuge titular no pot efectuar cap acte d'alienació, de gravamen o, en general de disposició del seu dret sobre l'habitatge familiar que en comprometi l'ús sense el consentiment de l'altre cònjuge (art. 231-9 CCCat); i els cònjuges tenen l'obligació recíproca d'informar-se adequadament de la gestió patrimonial que realitzen en relació a l'atenció de les despeses familiars (art. 231-7 CCCat).

La responsabilitat pels deutes contrets per qualsevol dels cònjuges, per raó de la tinença i l'administració dels béns privatius —deutes privatius— recau preferentment sobre el patrimoni privatiu de cada cònjuge i subsidiàriament, quant aquest resulta insuficient, el creditor pot demanar l'embargament dels béns comuns, que ha d'ésser notificat a l'altre cònjuge, el qual pot exigir la dissolució de la comunitat i que l'embargament tingui lloc sobre la meitat corresponent al cònjuge deutor (art. 232-34.2 CCCat).

En canvi, dels deutes contrets per a atendre despeses familiars, en responen solidàriament els béns de la comunitat i els del cònjuge deutor, i subsidiàriament els de l'altre cònjuge (art. 232-35 CCCat).

3. EXTINCIÓ DEL RÈGIM DE COMUNITAT DE BÉNS

El règim de comunitat de béns s'extingeix per les causes generals d'extinció dels règims econòmics matrimonials que són (art. 232-36.1 CCCat):

a) la nul·litat, la dissolució del matrimoni o la separació legal; i b) l'acord dels cònjuges per mitjà del qual estipulen en capítols matrimonials un règim diferent.

El règim de comunitat de béns també es pot extingir per resolució judicial, a petició d'un dels cònjuges, si es produeix alguna de les circumstàncies següents (art. 232-36.2 CCCat):

a) Separació de fet per un període superior a sis mesos

b) Incompliment greu o reiterat per l'altre cònjuge del deure d'informar-lo de les seves activitats econòmiques

c) Gestió patrimonial irregular o supervenció d'alguna circumstància personal o patrimonial en l'altre cònjuge que comprometi els interessos de qui sol·licita l'extinció

d) Embargament de béns comuns per respondre de deutes privatius quan el patrimoni privatiu del deutor resulta insuficient.

L'extinció del règim posa fi a la comunitat de béns entre els cònjuges. Un cop extingit el règim, el patrimoni comú entra en la fase de liquidació que acaba amb l'adjudicació als cònjuges, o als seus hereus, dels béns que el composaven.

4. LIQUIDACIÓ

La liquidació s'inicia amb la determinació dels béns comuns i privatius amb referència al temps de la dissolució. Els béns comuns que es posseeixin en el moment de la dissolució de la comunitat s'han de computar segons el valor que tinguin en el moment de fer-ne la liquidació (art. 232-37 CCCat).

Malgrat que en aquest cas la llei no ho diu expressament, cal fer un inventari de l'actiu i el passiu per determinar la situació patrimonial de la comunitat al temps de la dissolució i és imprescindible liquidar el passiu que grava el patrimoni comú abans de procedir a la partició dels béns. Determinat l'actiu patrimonial líquid, els béns comuns es divideixen entre els cònjuges o entre el cònjuge supervivent i els hereus del premort.

Per regla general, la participació dels cònjuges en la comunitat és paritària, però s'accepta el pacte pel qual s'atribueixen quotes diferents quan aquestes tenen caràcter recíproc i igual a favor de qualsevol dels cònjuges i es respecta el principi d'igualtat entre els cònjuges (art. 232-88.1 CCCat).

Es disposa com a regla especial que si l'habitatge conjugal i els seus mobles d'ús ordinari tenen la condició de béns comuns, el cònjuge supervivent pot demanar que li sigui atribuïda la propietat d'aquests béns en pagament de la seva quota, i si el valor és superior al valor de la seva quota, l'adjudicatari ha de pagar la diferència en diners (art. 232-28 CCCat).

I en darrer terme, l'art. 232-38.3 CCCat preveu que cal tenir en compte l'origen dels béns que conformen el patrimoni comú en la formació dels lots que corresponen als cònjuges. En aquest sentit disposa que en la divisió del béns comuns, cada cònjuge pot recuperar els béns que eren de la seva propietat abans de l'inici del règim de comunitat i que subsisteixin en el moment de l'extinció, segons l'estat inicial. Els altres béns i les millores fetes en els béns aportats s'han d'incloure en la divisió de la comunitat i, si el valor d'aquells béns és superior al valor de la quota, l'adjudicatari ha de pagar la diferència en diners.

5. L'AGERMANAMENT O PACTE DE MIG PER MIG: CONCEPTE I RÈGIM JURÍDIC

L'agermanament o pacte de mig per mig es troba regulat a l'art. 232-28 CCCat. Es tracta d'una institució pròpia del dret de Tortosa i exigeix un pacte exprés en capítols matrimonials.

En tot allò que no regulin els pactes de constitució del règim i aquest precepte legal l'agermanament es regeix pel costum del lloc i, si no n'hi ha, per les disposicions del règim de comunitat, en la mesura que ho permeti la seva naturalesa específica.

L'agermanament es configura com una comunitat universal dels béns dels cònjuges que comprèn tots els béns que aquests tenen en el moment del inici del règim i tots els que adquireixen després mentre aquest subsisteix, a títol onerós o gratuït. No existeixen, en principi, patrimonis privatius dels cònjuges, sinó una única massa patrimonial comuna.

L'administració de la comunitat correspon a ambdós cònjuges, tot i que s'admet que en capítols es designi a un d'ells com administrador.

També pels actes de gestió i disposició dels béns comuns cal el consentiment dels dos cònjuges concretat en l'actuació conjunta o la d'un sol amb el consentiment exprés o tàcit de l'altre, o amb l'autorització judicial supletòria.

Pel que fa a les causes d'extinció del règim és d'aplicació l'art. 232-36 CCCat que disposa les causes d'extinció necessària i les causes d'extinció per resolució judicial a petició d'un dels cònjuges.

La liquidació de l'agermanament s'ha de fer adjudicant a parts iguals els béns que inclogui entre els cònjuges o entre el cònjuge supervivent i els hereus del premort. I aquí també s'admet l'atribució preferent de l'habitatge familiar, així com la recuperació dels béns que pertanyien a cadascun dels cònjuges abans de la constitució del règim (art. 232-38 CCCat).

Lliçó 12
LA SEPARACIÓ I EL DIVORCI

Judith Solé Resina

1. LES CRISIS MATRIMONIALS

El nostre ordenament jurídic recondueix les situacions de crisi matrimonials a les institucions de la separació matrimonial i el divorci, per bé que tradicionalment s'inclou també en aquest concepte la nul·litat matrimonial que, malgrat que no suposa en rigor una situació de crisi matrimonial, comparteix amb elles el gruix dels efectes jurídics.

Cal recordar que l'ordenament jurídic espanyol possibilita el divorci des de la Reforma del Codi Civil de 1981 i que amb anterioritat —tret del període de la II República— el matrimoni es considerava indissoluble en vida dels cònjuges.

Amb posterioritat, aquesta matèria ha estat objecte d'importants modificacions. D'una banda, la Llei 15/2005, de 8 de juliol, de modificación del Código Civil y de la Ley de Enjuiciamiento Civil en materia de separación y divorcio —anomenada llei del divorci exprés— amplia l'àmbit de llibertat dels cònjuges i facilita l'accés i el procediment a la separació judicial i el divorci. Ho fa eliminant la necessitat que concorri una causa legalment establerta per tal que procedeixin la separació i el divorci —és suficient la voluntat d'un dels cònjuges—. Actualment existeix una única i comuna causa de separació i de divorci que és la voluntat per part d'un dels cònjuges o d'ambdós de procedir en aquest sentit. Solament es requereix que hagin transcorregut tres mesos des de la celebració del matrimoni. A més, desterra la necessitat que en alguns cassos existia de procedir a la separació judicial prèvia al divorci, i que comportava una duplicitat de procediments, amb la corresponent inversió de més temps i més diners per part dels afectats i l'erari públic.

D'una altra banda, més recentment a Ley 15/2015, de 2 de juliol, de Jurisdicción Voluntaria, amb una clara voluntat desjudicialitzadora, possibilita la tramitació de la separació legal i del divorci davant Notari i davant Lletrat de l'Administració de Justícia, quan es tracta d'un procediment de mutu acord i el matrimoni no té fills menors o amb la capacitat judicialment modificada. En aquests casos, el procediment no requereix la intervenció judicial, la qual cosa comporta una major agilitat.

2. LA SEPARACIÓ LEGAL

La separació legal és la ruptura de la convivència dels cònjuges que no afecta el vincle matrimonial. Es distingeix del divorci en que els cònjuges separats segueixen units en matrimoni i no poden contraure noves núpcies.

La separació matrimonial s'haurà de decretar judicialment quan hi hagin fills menors no emancipats o amb la capacitat modificada judicialment que depenguin dels seus progenitors, qualsevol que hagi estat la forma de celebració del matrimoni —civil o religiosa— (art. 81 CC).

Poden sol·licitar la separació judicial ambdós cònjuges o un d'ells amb el consentiment de l'altre, amb l'únic requisit que hagin transcorregut tres mesos des de la celebració del matrimoni. En aquests casos es parla de separació de mutu acord i a la demanda s'ha d'acompanyar una proposta de conveni regulador amb el contingut establert a l'art. 233-2 CCCat.

També pot demanar la separació judicial un sol dels cònjuges un cop transcorreguts tres mesos des de la celebració del matrimoni, termini que no es requerirà quan s'acrediti l'existència d'un risc per la vida, la integritat física, la llibertat, la integritat moral o llibertat i indemnitat sexual del cònjuge demandant o dels fills comuns o de qualsevol dels cònjuges. En aquests casos es parla de separació contenciosa i a la demanada s'ha d'acompanyar proposta fonamentada de les mesures que hagin de regular els efectes derivats de la separació.

L'art. 777 LEC regula el procediment de separació o divorci sol·licitats de mutu acord o per un dels cònjuges amb el consentiment de l'altre, i l'art. 770 LEC disposa el procediment a seguir en les separacions i divorcis contenciosos. Iniciat el procediment per la via de l'art. 770 LEC es pot continuar per la del 777 LEC si s'arriba al mutu acord i s'aporta el conveni regulador (art. 770.5 LEC).

A falta de fills menors no emancipats o amb la capacitat modificada judicialment que depenguin dels seus progenitors, els cònjuges, transcorreguts tres mesos des de la celebració del matrimoni, poden procedir a la seva separació de mutu acord mitjançant la manifestació de la seva voluntat en escriptura pública davant Notari o davant Lletrat de l'Administració de Justícia (art. 82 CC).

Cal que els cònjuges intervinguin en l'atorgament del consentiment de forma personal, sense perjudici que hagin d'estar assistits per lletrat en exercici, i formalitzin un conveni regulador en el que determinaran les mesures que han de regular els efectes de la separació. Els fills majors d'edat o emancipats han d'atorgar el seu consentiment davant el lletrat de l'Administració o el Notari respecte les mesures que els afectin.

Els funcionaris diplomàtics o consulars en exercici de les funcions notarials atribuïdes no poden autoritzar l'escriptura pública de separació.

Els efectes de la separació legal, que són el conjunt de mesures tendents a adaptar el règim jurídic del matrimoni i si s'escau, de la potestat sobre els fills a la nova situació dels cònjuges separats, es produeixen des que la sentència és ferma o des del decret o la manifestació dels cònjuges en l'escriptura pública, que s'inscriuran al Registre Civil, i des de la seva inscripció tindran efectes front a tercers de bona fe (art. 83.2 CC).

A més dels efectes de la separació que són comuns al divorci i a la nul·litat matrimonial i que s'estudien en la propera lliçó, l'art. 82.1 CC disposa que la sentència o decret de separació o l'atorgament d'escriptura pública del conveni regulador que la determina produeixen la suspensió de la vida en comú i cessa la possibilitat de vincular béns de l'altre cònjuge en l'exercici de la potestat domèstica.

La suspensió de la vida en comú i el cessament de la convivència deixen sense efecte la presumpció de paternitat (art. 235-5.1 CCCat). El cessament de la possibilitat de vincular els béns de l'altre cònjuge a l'exercici de la potestat domèstica és una conseqüència de la substitució de les regles que regulaven les relacions econòmiques del matrimoni per les establertes al conveni regulador o la sentència.

La separació també suposa l'aplicació de les normes específiques sobre l'exercici de la potestat en casos de vida separada dels progenitors (art. 236-11 CCCat) i pot incidir en l'emancipació dels fills (art. 211-10 CCCat). A més comporta la pèrdua d'alguns drets al cònjuge supervivent com el dret al parament de l'habitatge (art. 231-30 CCCat), l'any de viduïtat (art. 231-31 CCCat), el dret a la successió intestada del cònjuge (art. 442-6 CCCat) i el dret a la quarta vidual (art. 452-2 CCCat)

La reconciliació dels cònjuges posa fi al procediment de separació i deixa sense efecte el que s'hagi resolt, per bé que els cònjuges l'han de posar en coneixement de l'autoritat judicial que pot mantenir o modificar algunes mesures adoptades envers als fills si hi ha una causa que ho justifiqui. Si no ha intervingut autoritat judicial en la separació, la reconciliació s'ha de formalitzar en escriptura pública o acta de manifestacions i cal que s'inscrigui al Registre Civil per tal que tingui efectes davant de tercers (art. 84 CC).

Amb tot, la reconciliació no afecta a la revocació dels consentiments i poders produïda quan es va instar la separació, que es manté, sense perjudici que es puguin tornar a atorgar.

3. LA SEPARACIÓ DE FET

La separació de fet és la suspensió de la vida en comú dels cònjuges sense observar les formalitats establertes per la separació legal. Pot ser acordada pels dos cònjuges o imposada per un d'ells. En aquest darrer cas pot constituir un delicte d'abandonament de família si comporta un incompliment del deure d'assistència al sosteniment dels descendents, ascendents o cònjuge que es trobin necessitats (art. 226 CP).

No és separació de fet qualsevol cessament de la convivència, que pot respondre a motius laborals, de malaltia, o altres, sinó únicament el que respon a un *animus* de suspendre la vida en comú de la parella de forma indefinida o definitiva.

Malgrat que es tracta d'una situació de fet l'ordenament jurídic reconeix alguns efectes jurídics a la separació de fet, així:

– Pot ser causa de la dissolució del règim econòmic matrimonial (arts. 232-16.2 a), 232-36.2 CCCat) i pot destruir la presumpció de donació en cas de declaració de concurs d'un dels cònjuges (art. 231-12.3 CCCat).

- Pot comportar una modificació de l'exercici de la potestat dels pares (art. 236-11 CCCat) i cessa la presumpció de paternitat (art. 235-5.1 CCCat).

- Suposa l'exclusió del cònjuge supervivent al parament de l'habitatge (art. 231-30 CCCat), l'any de viduïtat (art. 231-31 CCCat), el dret a la successió intestada del cònjuge (art. 442-6 CCCat) i el dret a la quarta vidual (art. 452-2 CCCat).

4. LA DISSOLUCIÓ DEL MATRIMONI PER DIVORCI

L'art. 85 CC disposa que el matrimoni es dissol per mort o declaració de mort d'un dels cònjuges i per divorci, sigui quina sigui la forma i el temps de la seva celebració. Així, són causes de dissolució del matrimoni, la mort o declaració de mort i el divorci. I es poden divorciar els matrimonis contrets tant després com abans de l'acceptació per part del nostre ordenament del divorci, i també els matrimonis contrets en forma religiosa amb independència dels dictats o normes de la seva religió.

El divorci dissol el vincle matrimonial en vida d'ambdós cònjuges. L'art. 86 CC es remet a l'art. 81 CC per establir els casos en que es decretarà judicialment a petició d'un sol dels cònjuges o d'ambdós o d'un amb el consentiment de l'altre. Per tant, el divorci s'haurà de decretar judicialment quan hi hagin fills menors no emancipats o amb la capacitat modificada judicialment que depenguin dels seus progenitors, qualsevol que hagi estat la forma de celebració del matrimoni —civil o religiosa—.

Poden sol·licitar el divorci ambdós cònjuges o un d'ells amb el consentiment de l'altre, amb l'únic requisit que hagin transcorregut tres mesos des de la celebració del matrimoni. En aquests casos es parla de divorci de mutu acord i a la demanda s'ha d'acompanyar una proposta de conveni regulador amb el contingut establert a l'art. 233-2 CCCat.

També pot demanar el divorci un sol dels cònjuges un cop transcorreguts tres mesos des de la celebració del matrimoni, termini que no es requerirà quan s'acrediti l'existència d'un risc per la vida, la integritat física, la llibertat, la integritat moral o llibertat i indemnitat sexual del cònjuge demandant o dels fills comuns o de qualsevol dels cònjuges. En aquests casos es parla de divorci contenciós i a la demanada s'ha d'acompanyar proposta fonamentada de les mesures que hagin de regular els efectes derivats de la separació.

Cal recordar que l'art. 777 LEC regula el procediment de separació o divorci sol·licitats de mutu acord o per un dels cònjuges amb el consentiment de l'altre, i l'art. 770 LEC disposa el procediment a seguir en les separacions i divorcis contenciosos. Iniciat el procediment per la via de l'art. 770 LEC es pot continuar per la del 777 LEC si s'arriba al mutu acord i s'aporta el conveni regulador (art. 770.5 LEC).

A falta de fills menors no emancipats o amb la capacitat modificada judicialment que depenguin dels seus progenitors, els cònjuges poden procedir a la separació o divorci de mutu acord mitjançant la manifestació de la seva voluntat en escriptura pública davant notari o davant lletrat de l'Administració de Justícia (art. 87 CC).

Cal que els cònjuges intervinguin en l'atorgament del consentiment de forma personal, sense perjudici que hagin d'estar assistits per lletrat en exercici, i formalitzin un conveni regulador en el que determinaran les mesures que han de regular els efectes del divorci. Els fills majors d'edat o emancipats han d'atorgar el seu consentiment davant el lletrat de l'Administració o el notari respecte les mesures que els afectin.

Els funcionaris diplomàtics o consulars en exercici de les funcions notarials atribuïdes no poden autoritzar l'escriptura pública de divorci.

L'acció de divorci és personalíssima i s'extingeix amb la mort d'un dels cònjuges. La reconciliació dels cònjuges un cop interposada la demanda i abans que hi hagi sentència, si és expressa i es posa en coneixement de l'autoritat judicial, comporta el desistiment del procediment (extinció de l'acció). Si és posterior al divorci no produeix efectes legals, però els divorciats es podran tornar a casar entre sí (art. 88 CC).

Els efectes de la dissolució del matrimoni per divorci es produiran des de la fermesa de la sentència o decret que el declari o des de la manifestació del consentiment d'ambdós cònjuges atorgat en escriptura pública, però fins la inscripció del divorci al Registre Civil no perjudicarà a tercers de bona fe (art. 89 CC).

Lliçó 13
NUL·LITAT DEL MATRIMONI

Mª del Carmen Gete-Alonso y Calera

1. LA NUL·LITAT MATRIMONIAL

El matrimoni és nul com a conseqüència de la manca d'algun o alguns dels requisits que exigeix la llei per a la seva validesa. La nul·litat del negoci és la ineficàcia radical i absoluta que es dóna sense necessitat que s'exerceixi l'acció pels interessats, perquè és estructural, originària i derivada d'una irregularitat en la formació del negoci jurídic. S'aprecia d'ofici.

El règim de la nul·litat matrimonial no participa, exactament, de les mateixes característiques de la nul·litat dels altres negocis jurídics. La naturalesa del negoci matrimonial determina un règim propi.

1.1. Caracterització

Les característiques de la nul·litat matrimonial:
1r. Sempre s'ha de declarar judicialment
2n. Tot i que és radical, en determinats supòsits previstos legalment pot ser convalidada i
3r. La legitimació per exercir l'acció de nul·litat en determinats casos es configura de manera limitada.

Pel que fa a la llei que regeix la declaració de nul·litat i els seus efectes, és l'aplicable a la celebració del matrimoni (arts. 9.2 i 107.1 CC).

1.2. Causes de nul·litat

L'art. 73 CC enumera els fets que actuen com a causa de nul·litat del matrimoni que es prediquen del mateix qualsevol que sigui la forma celebració. Aquesta declaració general suposa, com es va dir en estudiar el sistema matrimonial, que la nul·litat matrimonial, tant pel que fa a les causes com al procediment, es regeix sempre per la legislació i la normativa civil. De manera que no importa que s'hagi celebrat el matrimoni en forma civil o en forma religiosa, en ambdós casos es pot acudir a la via civil, el que és important perquè la que té eficàcia immediata és la nul·litat civil.

Pel que fa al matrimoni canònic, però, s'ha de tenir en compte que, de conformitat amb l'Acord sobre Assumptes Jurídics entre l'Estat espanyol i la Santa Seu té un règim especial que permet que la nul·litat pugui ser declarada per la via canònica o la civil. Amb tot, la nul·litat civil no té efectes canònics, mentre que la nul·litat canònica únicament té efectes civils si es declara ajustada al dret de l'Estat per un tribunal civil (art. 80 CC).

Són causes de nul·litat únicament les taxades a la norma:

a) El matrimoni celebrat sense consentiment matrimonial. Són els matrimonis en els quals falta en absolut el consentiment (art. 45 CC). No hi ha consentiment matrimonial en els casos en què la declaració s'emet per persona que no té capacitat natural suficient per saber i entendre, ja sigui a causa d'una malaltia mental o deficiència psíquica, on s'han d'incloure l'alcoholisme i les toxicomanies que concorrin en el moment de la celebració. Tampoc hi ha consentiment en els casos de declaracions emeses *iocandi causa*, en la de simulació, la reserva mental i en el matrimoni contret mitjançant apoderat celebrat estant caducat o revocat el poder.

b) El matrimoni celebrat per les persones que no tenen capacitat matrimonial (arts 46 i 47 CC), excepte que s'hagués obtingut dispensa. Són els impediments d'edat, vincle, parentiu i mort dolosa.

Els matrimonis entre parents en línia recta per consanguinitat o adopció i entre col·laterals fins al segon grau per consanguinitat són sempre nuls. També ho són els celebrats entre persones el vincle anterior no està dissolt i els dels menors d'edat no emancipats. Com es va estudiar es pot obtenir dispensa del vincle de parentiu de grau tercer entre col·laterals i de la mort dolosa del cònjuge o parella si no s'obté, llevat que s'aconsegueixi amb posterioritat, el matrimoni és nul (art. 48 CC).

c) El matrimoni contret sense la intervenció del Jutge de Pau, Alcalde o regidor, Lletrat de l'Administració de justicia, Notari o funcionari davant el qual s'hagi de celebrar o sense la dels testimonis.

El matrimoni és un acte jurídic formal (*ad solemnitatem*) el que comporta que de no complir la forma establerta és nul. Tanmateix, la nul·litat per falta de forma sempre que hi hagi consentiment matrimonial es matisa, amb la finalitat de mantenir el matrimoni. Com es va estudiar la validesa del matrimoni no queda afectada per la incompetència o falta de nomenament legítim del Jutge de Pau, Al¬calde o regidor, Lletrat de l'Administració de justicia, Notari o funcionari, sempre que almenys un dels cònjuges hagi procedit de bona fe, i aquells exerceixin les seves funcions públicament. Bona fe és el desconeixement del defecte o de la manca de nomenament de la persona que autoritza el matrimoni (arts. 53 i 78.1 CC).

La presència dels dos testimonis majors d'edat és ineludible, la seva absència comporta la nul·litat, encara que no s'exigeix que coneguin els contraents.

d) El matrimoni en el qual concorren els vicis del consentiment que la llei preveu. Com es va estudiar els únics vicis que s'admeten són:

– L'error en la identitat de la persona de l'altre contraent o l'error en aquelles qualitats personals que, per la seva entitat, hagin estat determinants en la prestació del consentiment.

– La coacció o por greu.

2. L'ACCIÓ DE NUL·LITAT. CLASSES I EXERCICI

L'acció de nul·litat, com s'ha explicat, participa dels caràcters generals, és declarativa, en inici imprescriptible i pública. No obstant això, per afectar interessos privats, a més dels generals, presenta la particularitat de ser semi-pública en tant que no és possible que qualsevol pugui exercitar-la. També, en determinats casos se sotmet a termini de caducitat quan concorren els pressupostos legals. Es fa patent, així, la característica pròpia de la nul·litat matrimonial.

S'ha de distingir entre l'acció nul·litat matrimonial en general i la que s'acciona per falta d'edat o per vicis del consentiment, causes que tenen regles pròpies.

1. Acció de nul·litat general: per a totes les causes excepte l'edat i els vicis del consentiment. Estan legitimats per a exercitar-la els cònjuges, el Ministeri Fiscal i qualsevol persona que tingui interès legítim, (art. 4 CC).

En tots els processos sempre és part el Ministeri Fiscal, encara que no hagi estat promotor del mateix ni hagi, conforme a la llei, assumit la defensa d'alguna de les parts, que en tot cas ha de vetllar durant el procés per la salvaguarda de l'interès de la persona afectada (art. 749.1 LEC).

La legitimació de qualsevol persona que tingui interès legítim exigeix que es manifesti i determini l'interès, que, com que no es precisa comprèn tant el de caràcter personal (el parentiu, per exemple) o patrimonial (depèn una atribució econòmica), en definitiva, l'interès es revela en què de l'existència o no del matrimoni depèn la situació de la persona.

Encara que no es diu res l'acció es dirigeix (legitimació passiva), si l'exercita un dels cònjuges, contra l'altre i contra tots dos quan ho faci un tercer o el Ministeri fiscal.

2. Acció de nul·litat per edat: mentre el cònjuge o cònjuges són menors d'edat només pot exercir l'acció qualsevol dels pares, tutors o guardadors, i sempre el Ministeri Fiscal. Quan el cònjuge o cònjuges, menors, arriben a la majoria d'edat, només pot exercir l'acció el contraent menor, llevat que els cònjuges hagin viscut junts durant un any després d'arribar a la majoria d'edat (art. 75 CC). L'expressió contraent menor es refereix al cònjuge que va contraure matrimoni mentre era menor d'edat i ha assolit la majoria d'edat, supòsit en el qual pot, sent major d'edat, demanar la nul·litat. El cònjuge que era major d'edat en el moment de la celebració en cap cas pot demandar-la.

En aquests casos, assolida la majoria d'edat, si no s'exercita l'acció, es possible la convalidació del matrimoni per convivència durant un any després de la majoria d'edat.

3. Acció de nul·litat per vicis del consentiment: en els casos d'error, coacció o por greu només pot exercir l'acció el cònjuge que ha

patit el vici (art. 76 CC). S'exclou, com legitimat actiu, al Ministeri Fiscal.

3. LA CONVALIDACIÓ DEL MATRIMONI NUL

La nul·litat, en principi és radical i implica la ineficàcia del negoci nul. No obstant això, en el matrimoni, cal per disposició legal, la convalidació. En alguns casos per cessar la causa de nul·litat, o per complir certs requisits o a causa del transcurs del temps, fets que units a la permanència de la convivència i al no haver-se interposat l'acció mentre podia fer-se actuar, la fonamenten.

En part, la convalidació del matrimoni nul recorda a la confirmació dels contractes anul·lables, però no s'ha de confondre ni equiparar-se a ella.

Té lloc la convalidació del matrimoni:

a) Aportació a posteriori de les dispenses requerides per celebrar vàlidament el matrimoni. Són els casos de dispensa de parentiu de tercer grau de consanguinitat i de la mort dolosa del cònjuge o parella (art. 48 CC). En aquest cas, la dispensa posterior valida el matrimoni des de la celebració si no s'ha instat l'acció de nul·litat.,

b) Transcurs del temps i convivència. Comprèn les següents situacions:

   – El matrimoni de menors d'edat o no emancipats, si continuen vivint junts durant un any o més després que arribin a la majoria d'edat.

   – El matrimoni en el qual concorrin vicis del consentiment si els cònjuges han viscut junts durant un any després que s'hagi esvaït l'error o la força o causa de la por i no s'ha exercitat l'acció.

4. EFECTES ESPECÍFICS DE LA NUL·LITAT. EL MATRIMONI PUTATIU

El matrimoni estableix entre els cònjuges la relació conjugal de la qual segueixen efectes i crea un estatut no només jurídic sinó també material, situació i efectes alguns dels que, difícilment es poden eliminar quan es declara la nul·litat del negoci. Si bé la sentència de nul·litat suposa el reconeixement que no ha existit el negoci jurídic i, per tant no hi ha vincle matrimonial entre els consorts i opera, així, retroactivament (mai hi ha hagut matrimoni), no arriba a totes les conseqüències produïdes mentre romania oficialment el vincle, algunes de les que es mantenen després de la nul·litat. És la situació que té lloc en l'anomenat matrimoni putatiu.

La declaració de nul·litat del matrimoni no invalida els efectes ja produïts respecte dels fills i del contraent o contraents de bona fe. La bona fe es presumeix (art. 79 CC). Perquè es mantinguin els efectes (ficció de matrimoni) es requereix:

a) Bona fe: és el desconeixement que el matrimoni celebrat està afectat per alguna causa de nul·litat o que, coneixent-la (supòsit de la força) no es va poder evitar. S'ha de presentar en el moment de la celebració del matrimoni. La bona fe es presumeix, però es pot provar en contra (és presumpció *iuris tantum*). S'exigeix només per mantenir els efectes per a un o ambdós cònjuges; no per als fills per als que sempre romanen els efectes del matrimoni.

b) Aparença de matrimoni. El matrimoni aparentment s'ha celebrat de manera vàlida, és a dir han de complir-se els requisits formals exigits en cada cas. A més, s'ha d'haver inscrit al Registre Civil.

El matrimoni putatiu va gaudir de rellevància en el període històric en què la normativa discriminava clarament als fills segons la condició dels pares en el moment de la concepció, que tenia importants conseqüències no només socials sinó en els drets reconeguts als fills no matrimonials (denominats, genèricament, il·legítims). A la legalitat vigent, la proscripció de la discriminació, expressament per raó de naixement i filiació (arts. 14 i 39.2 CE) sembla que fa innecessària la norma ja que els avantatges que en una altra època derivaven de la consideració de fill matrimonial ja no concorren; amb tot, es manté com a norma de protecció ja que en alguns àmbits, i sobretot per als cònjuges, encara persisteixen certes diferències en atenció a l'existència o no del vincle matrimonial.

Mentre roman el procediment de declaració de nul·litat, cal que s'adoptin un seguit de mesures provisionals i prèvies abans de la sentència definitiva. Aquestes són comunes a les que tenen lloc a la separació i el divorci, per això s'estudien en la següent lliçó.

Quant als efectes específics de la sentència en la qual es declara la nul·litat del matrimoni:

– La sentència de nul·litat és declarativa: constata la concurrència de la causa de nul·litat i que el matrimoni no és vàlid i no ha produït efectes jurídics. El caràcter declaratiu de la sentència comporta, per tant que opera retroactivament i que ha de tornar-se a la situació anterior a la celebració. Això comporta que s'ha de procedir, si s'escau, a la liquidació del règim de béns, a la qual s'apliquen les regles del que correspongui.

Si el règim de béns era el de separació de béns, en la seva liquidació, el cònjuge que ha treballat per a la casa substancialment més que l'altre, o ha treballat per a l'altre cònjuge sense retribució o amb una retribució insuficient, té dret a una compensació econòmica per raó del treball, sempre que concorrin la resta de requisits establerts en la llei (arts. 232-5 CCCat).

– Si concorren els requisits del matrimoni putatiu, els efectes del matrimoni es mantenen per al cònjuge o cònjuges de bona fe i per als fills. Això suposa que la retroactivitat no opera; els fills no perden la condició de matrimonials i tampoc el o els consorts de bona fe la seva.

En el cas que es declari la mala fe d'un dels cònjuges, si al matrimoni s'han d'aplicar els preceptes del Codi civil espanyol, es concedeix al cònjuge de bona fe l'opció de liquidar el règim econòmic matrimonial d'acord amb les regles del règim de participació en aquest cas el de mala fe no té dret a participar en els guanys obtinguts pel consort (art. 95.2 CC).

En el dret català es disposa que el cònjuge de bona fe la situació econòmica del qual resulti més perjudicada com a conseqüència de de la declaració de nul·litat té dret a rebre de l'altre una prestació compensatòria que no excedeixi al nivell de vida que gaudia durant el matrimoni, ni del que pugui mantenir el cònjuge obligat al pagament. (art. 233-14 CCCat).

– La declaració de nul·litat no invalida els efectes del matrimoni pel que fa a la nacionalitat i el veïnatge civil.

5. L'EXECUCIÓ DE LA NUL·LITAT DEL MATRIMONI CANÒNIC

Els tribunals civils, a la legalitat vigent, són els únics competents per jutjar sobre la nul·litat matrimonial, sigui quina sigui la forma, civil o religiosa, en què s'hagi celebrat el matrimoni (art. 73 CC). Amb tot, els matrimonis contrets d'acord amb la forma canònica (catòlics) tenen un règim especial, fundat en els Acords jurídics de l'estat amb la Santa Seu, signats el 1979, en els quals es va pactar el reconeixement de les sentències i resolucions de nul·litat matrimonial dictades pels tribunals eclesiàstics, el que es positivitza en l'art. 80 CC. Norma de difícil justificació, a dia d'avui, de la qual no existeix paral·lel amb els acords signats amb les altres confessions religioses.

En els matrimonis canònics, els cònjuges poden acudir a la via de la declaració de nul·litat civil o a la canònica i la sentència dictada per aquesta es pot reconèixer civilment sempre que compleixi els requisits que estableix la llei.

Les resolucions dictades pels tribunals eclesiàstics sobre nul·litat de matrimoni canònic o les decisions pontifícies sobre matrimoni rat i no consumat tenen eficàcia en l'ordre civil, a sol·licitud de qualsevol de les parts, si es declaren ajustats al dret de l'estat en resolució dictada pel jutge civil competent d'acord amb les condicions a què es refereixen els articles 41 a 55 de la Llei 29/2015, de 30 de juliol, de cooperació jurídica internacional en matèria civil (art. 80 CC).

La sentència canònica de nul·litat no té efectes civils automàtics, sinó que s'ha de sotmetre a un previ exequàtur. Els tribunals civils per declarar la nul·litat del matrimoni han de tenir en compte les causes de nul·litat civil, en tant que el tribunal eclesiàstic declara la nul·litat d'acord amb les normes de Dret Canònic i no coincideixen algunes d'elles, d'aquí la necessitat que es comprovi l'ajust al dret intern (no s'ha d'oblidar que es tracta d'una resolució estrangera). A més, juntament a les resolucions judicials de nul·litat es sotmeten al mateix règim les decisions pontifícies sobre el matrimoni rat i no consumat, que no són, tècnicament, sentències però que són susceptibles de ser executades civilment. La concreció comporta que no s'admetin altres decisions pontifícies (com el privilegi petrí o el paulí) que també suposen nul·litat matrimonial.

En síntesi, la principal qüestió que s'ha d'examinar per reconèixer la sentència o decisió és que s'ajusti al dret de l'estat el que comporta que no ha de ser contrària a l'ordre públic intern. Són causes de denegació del reconeixement, a més (art. 46 Llei 29/2015):

- Que la resolució s'hagi dictat amb manifesta infracció dels drets de defensa de qualsevol de les parts. Si s'hagués dictat en rebel·lia, hi ha manifesta infracció dels drets de defensa si no es va lliurar al demandat cèdula d'emplaçament o document equivalent de forma regular i amb temps suficient perquè pogués defensar-se.
- Que la resolució estrangera s'ha pronunciat sobre una matèria d'exclusiva competència dels òrgans jurisdiccionals espanyols o, respecte a les altres matèries, si la competència del jutge d'origen no obeïa a una connexió raonable. Es presumeix la connexió raonable amb el litigi quan l'òrgan jurisdiccional estranger basa la seva competència judicial internacional en criteris similars als previstos en la legislació espanyola.
- Quan la resolució sigui inconciliable amb una resolució dictada a Espanya.
- Quan la resolució fos inconciliable amb una resolució dictada amb anterioritat en un altre Estat, quan aquesta última resolució reunís les condicions necessàries per al seu reconeixement a Espanya.
- Quan hi hagués un litigi pendent a Espanya entre les mateixes parts i amb el mateix objecte, iniciat amb anterioritat al procés a l'estranger.

Aquesta resolució civil d'homologació es limita a la declaració de nul·litat del matrimoni i no afecta els efectes sobre els cònjuges, els fills ni l'àmbit econòmic. Les mesures que afecten els cònjuges o als fills les adopten els tribunals civils i s'insten davant la jurisdicció civil juntament amb la demanda de sol·licitud d'eficàcia civil de la resolució canònica de nul·litat.

L'article 778 LEC (Eficàcia civil de resolucions dels tribunals eclesiàstics o de decisions pontifícies sobre matrimoni rat i no consumat) disposa que: En les demandes en sol·licitud de l'eficàcia civil de les resolucions dictades pels tribunals eclesiàstics sobre nul·litat del matrimoni canònic o les decisions pontifícies sobre matrimoni rat i no consumat, si no es demana l'adopció o modificació de mesures, el tribunal dóna audiència per termini de deu dies a l'altre cònjuge i al Ministeri Fiscal i resol mitjançant interlocutòria el que sigui procedent sobre l'eficàcia en l'ordre civil de la resolució o decisió eclesiàstica. Quan en la demanda se sol·licita l'adopció o modificació de mesures, es substància la petició d'eficàcia civil de la resolució o decisió canònica conjuntament amb la relativa a les mesures, per al que se segueix el procediment que correspongui d'acord amb el que disposa l' article 770 LEC (que regula els procediments que s'inicien sense acord dels cònjuges). La remissió planteja el dubte de si és possible, en el cas de la nul·litat, acudir al procediment de mutu acord o amb el consentiment de l'altre de l'art. 777 LEC (l'art. 770.5 LEC ho permet quan concorren els requisits).

Lliçó 14

EFECTES COMUNS DE LA NUL·LITAT DEL MATRIMONI, DEL DIVORCI I DE LA SEPARACIÓ LEGAL

Judith Solé Resina

1. TIPUS DE MESURES

El CCCat regula els efectes comuns de la nul·litat del matrimoni, del divorci i de la separació legal en relació a la cura dels fills, la prestació compensatòria i l'atribució o distribució de l'ús de l'habitatge familiar.

Amb caràcter previ al tractament de cadascun d'aquests efectes, però, estableix un conjunt de disposicions generals en les que disposa dos tipus de mesures que fan referència a aquests efectes i es distingei-xen en funció del moment processal en el que s'acorden. Son les mesu-res provisionals i les mesures definitives, i aquestes últimes poden ser proposades en conveni regulador o acordades per l'autoritat judicial. En aquesta seu el CCCat també fa una referència expressa a l'eficàcia dels pactes atorgats pels cònjuges fora del conveni regulador.

Les mesures provisionals permeten establir un règim jurídic que regeixi els interessos dels cònjuges i garanteixi el compliment dels seus deures envers els fills mentre dura el procediment de nul·litat separació o divorci, que finalitza amb l'establiment de mesures de-finitives.

2. LES MESURES PROVISIONALS

El CCCat incorpora per primera vegada previsions relatives a les mesures prèvies i provisionals que "s'ajusten a les necessitats pròpies del dret civil català" i descarta, d'aquesta manera, l'aplicació subsidiària dels arts. 102, 103 i 104 CC.

L'art. 233-1.1 CCCat estableix que el cònjuge que pretengui demandar o demandi la separació, el divorci o la nul·litat del matrimoni i el cònjuge demandat en la contestació de la demanda, poden sol·licitar a l'autoritat judicial que adopti mesures provisionals.

Les mesures provisionals es poden demanar, doncs, abans de presentar la demanda o juntament amb la presentació o contestació de la demanda de separació, divorci o la nul·litat del matrimoni.

Per sol·licitar les mesures prèvies abans de la presentació de la demanda no es requereix la intervenció de procurador i advocat, però si es requereix pels escrits i actuacions posteriors. A la vista de la sol·licitud, el lletrat de l'Administració dins un termini de 10 dies citarà als cònjuges i si hi ha fills menors o amb la capacitat judicialment modificada al Ministeri Fiscal, a una compareixença en la que s'intentarà un acord entre les parts. D'aquesta compareixença donarà compte el mateix dia al Tribunal que, en el termini de tres dies posteriors a la compareixença o la finalització de la prova si ho hi ha hagut acord dels cònjuges, adoptarà les mesures urgents que procedeixin en relació a la guarda dels fills i l'ús de l'habitatge familiar. Aquestes mesures solament subsistiran si dins els 30 dies següents a la seva adopció es presenta la demanda de separació, divorci o la nul·litat del matrimoni (art. 771 LEC).

Un cop admesa la demanda, el Tribunal ordenarà una nova compareixença si considera que procedeix completar o modificar les mesures prèvies acordades (art. 772 LEC).

Si no s'han sol·licitat amb anterioritat, juntament amb la presentació de la demanda de separació, divorci o la nul·litat del matrimoni es poden sol·licitar mesures provisionals, que poden respondre a un pacte dels cònjuges, malgrat que en aquest cas l'acord no serà vinculant per les pretensions respectives de les parts ni per la decisió del Tribunal referent a les mesures definitives (art. 233-1.4 CCCat). El lletrat de l'Administració convocarà una compareixença dels cònjuges i si s'escau del Ministeri Fiscal. També es poden sol·licitar les mesures provisionals en la contestació de la demanda. En tot cas, les mesures provisionals quedaran sense efecte quan siguin substituïdes per les que estableixi definitivament la sentència o quan es posi fi al procediment d'una altra forma (art. 773 LEC).

L'autoritat judicial pot acordar les garanties que siguin adequades per a assegurar el compliment de les mesures provisionals (art, 233-1.3 CCCat).

La sol·licitud de mesures provisionals implica la revocació dels consentiments i poders que qualsevol dels cònjuges hagi atorgat a favor de l'altre (art. 233-1.5 CCCat).

En cas de violència familiar o masclista, l'autoritat judicial competent ha d'adoptar les mesures que estableix la legislació específica (art. 233-1.5 CCCat). En aquest sentit cal tenir en compte que el que disposa l'art. 544 ter. LECrim pel que fa a l'ordre de protecció, que pot incloure mesures civils, si aquestes no han estat acordades prèviament per un òrgan de la jurisdicció civil, relatives a l'atribució de l'ús de l'habitatge familiar, el règim de guarda, el règim de relacions personals o altres qüestions que es considerin oportunes a fi d'apartar el menor d'un perill o evitar-li perjudicis.

L'art. 233-1.1 CCCat relaciona el possible contingut de les mesures provisionals. Aquestes poden referir-se a:

a) La determinació de la manera com els fills han de conviure amb els pares i s'han de relacionar amb aquell d'ambdós amb qui no estiguin convivint. Excepcionalment, l'autoritat judicial pot encomanar la guarda dels fills als avis, a altres parents, a persones pròximes o, si no n'hi ha, una institució idònia, a les quals es poden conferir funcions tutelars amb substitució de la potestat parental.

b) La manera com s'ha d'exercir la potestat sobre els fills.

c) L'establiment del règim de relacions personals dels fills amb els germans que no convisquin en la mateixa llar.

d) La distribució del deure d'aliments a favor dels fills i, si escau, la fixació d'aliments provisionals a favor d'un dels cònjuges.

e) La fixació d'aliments per als fills majors d'edat o emancipats que no tinguin recursos econòmics propis i convisquin amb algun dels progenitors.

f) L'assignació de l'ús de l'habitatge familiar amb el seu parament
o, alternativament, l'adopció de mesures que garanteixin les ne-
cessitats d'habitatge dels cònjuges i dels fills. Si s'atribueix l'ús
de l'habitatge familiar a un cònjuge, l'autoritat judicial ha de
fixar la data en que l'altre l'ha d'abandonar.

g) El règim de tinença i administració dels béns en comunitat or-
dinària indivisa i dels que, per capítols matrimonials o escriptu-
ra pública, estiguin especialment afectes a les despeses familiars
i, si el règim és de comunitat, dels béns comuns.

h) Les necessàries per a evitar el desplaçament o la retenció il·lícits
dels fills, si n'hi ha risc.

El Tribunal Superior de Catalunya te declarat que "Aquestes mesu-
res provisionals o cautelars, que no poden ser objecte de recurs, queden
sense efecte quan se substitueixen per les que estableixi definitivament
la Sentència o quan es posi fi al procediment d'una altra manera (art.
773.5 LEC), ja que l'òrgan judicial està obligat, per l'interès públic del
procediment, a resoldre en tot cas en la sentència, entre altres qüestions,
"les mesures que hagin de substituir les adoptades anteriorment en re-
lació amb els fills… i establir les que siguin procedents si per a alguns
d'aquests conceptes no se n'ha adoptat cap" (art. 774.4 LEC), sense
que els recursos que, conforme a la Llei s'interposin contra la sentència
puguin suspendre l'eficàcia de les mesures provisionals, en relació als
fills, que seran substituïdes amb la mateixa eficàcia ex nunc per les me-
sures que es disposin en la sentència que es dicti, les quals seran igual-
ment executives encara que s'hagi presentat un recurs contra elles. Com
que la normativa en qüestió no es remet a l'execució provisional, s'ha
d'entendre, almenys en relació a les mesures s les quals es refereix l'art
774.4 LEC, que es tracta d'una execució definitivament anticipada, per
la qual cosa en el cas dels pronunciaments de condemna econòmics no
escau ni demanar complements dineraris, ni sol·licitar devolucions de
quantitats si es modifiquen les quanties disposades coma conseqüèn-
cia dels recursos. Entendre-ho d'una altra manera atemptaria contra
el principi de seguretat jurídica, que exigeix que els aliments consumits
no s'hagin de retornar i que la persona obligada a donar-los pugui pre-
veure i fer provisió, per disposar també dels propis, de les sumes que ha
de satisfer en cada moment (STSJC 1/2012, de 20 de febrer i 41/2011,
de 26 de setembre).

3. EL CONVENI REGULADOR

Si els cònjuges arriben a un acord respecte de les mesures reguladores de la separació, el divorci o les conseqüències de la nul·litat del matrimoni, han de formular un conveni regulador (art. 233-2.1 CCCat). També es formalitzarà un conveni regulador quan la separació o el divorci de mutu acord es tramitin davant el lletrat de l'Administració de Justícia o el notari.

Si els cònjuges tenen fills menors no emancipats o amb la capacitat modificada judicialment que depenguin d'ells, han de presentar el conveni a l'autoritat judicial per a la seva aprovació. I també ho han de fer en tot cas quan es tracti d'un conveni regulador de les conseqüències de la nul·litat matrimonial (art. 233-2.2 CCCat).

Si no tenen fills menors no emancipats o amb la capacitat modificada judicialment els cònjuges poden formular el conveni davant el lletrat de l'Administració de Justícia o en escriptura pública davant notari. En aquests casos, els cònjuges han d'intervenir personalment en l'atorgament i han d'estar assistits per lletrat en exercici (art. 233-2.3 CCCat).

Admesa la demanda, en el procediment judicial, el lletrat de l'Administració citarà als cònjuges dins els tres dies següents per tal que ratifiquin la seva petició. Si s'escau es reclamarà la documentació que falti i el Tribunal practicarà la prova necessària per apreciar si procedeix l'aprovació de la proposta de conveni regulador i, si hi haguessin fills menors o amb la capacitat judicialment modificada recavarà informe del Ministeri Fiscal i escoltarà els fills que tinguin prou coneixement si s'estima necessari d'ofici, a petició del Fiscal, parts o membres de l'Equip Tècnic Judicial o del propi menor. Finalment el tribunal dictarà sentència concedint o denegant la separació o el divorci i pronunciant-se sobre el conveni regulador (art. 777 LEC).

Els pactes adoptats en conveni regulador han d'ésser aprovats per l'autoritat judicial, llevat dels punts que no siguin conformes amb l'interès dels fills menors. Si denega l'aprovació dels pactes adoptats en conveni regulador, l'autoritat judicial ha d'indicar els punts que s'han de modificar i ha de fixar el termini per a fer-ho. Si els cònjuges no formulen una proposta de modificació o aquesta tampoc no és aprovada, l'autoritat judicial ha d'adoptar la resolució pertinent. La sentència ha d'incorporar els punts del conveni que hagin estat aprovats i la decisió que correspongui quant als punts no aprovats. També pot contenir les mesures necessàries per a garantir-ne el compliment efectiu (art. 233-3 CCCat).

Cal tenir present que regeix el principi d'intervenció mínima: "El principi d'intervenció mínima en matèria de dret privat determina que el control judicial s'ha de limitar en aquests casos a recollir la ratificació del conveni i a comprovar que l'acord és lícit, és a dir, que no va contra l'ordre públic ni la moral (article 1275 CC), així com que no perjudica a les menors" (SAP Barcelona 198/2014, de 18 de març).

Si la competència fos del lletrat de l'Administració per no existir fills menors no emancipats o amb la capacitat judicialment modificada, immediatament després de la ratificació, aquest dictarà Decret pronunciant-se sobre el conveni regulador i declarant la separació o divorci. Si considera que algun dels acords de la proposta pot ser perjudicial per un dels cònjuges o els fills majors o menors emancipats ho advertirà i donarà per acabat el procediment i els cònjuges hauran de presentar la proposta de conveni a la seva aprovació a l'autoritat judicial (art. 777.10 LEC).

Des de l'aprovació del conveni regulador o l'atorgament de l'escriptura pública de conveni regulador es podran fer efectius els acords per la via de constrenyiment.

Les mesures que el jutge acordi en defecte d'acord o les convingudes pels cònjuges judicialment podran ésser modificades judicialment o per un nou conveni aprovat pel Jutge, quan així ho aconsellin les noves necessitats dels fills o el canvi de circumstàncies dels cònjuges. Les mesures convingudes en el conveni regulador formalitzat davant lletrat de l'Administració o en escriptura pública davant notari podran ésser modificades mitjançant un conveni posterior celebrat amb les mateixes formalitats.

El contingut del conveni regulador queda establert a l'art. 233-2 CCCat. És el següent:

1. Si els cònjuges tenen fills comuns que estan sota llur potestat, el conveni regulador ha de contenir:

   a) Un pla de parentalitat.

   b) Els aliments que els han de prestar, tant respecte a les necessitats ordinàries com a les extraordinàries, indicant-ne la periodicitat, la modalitat de pagament, els criteris d'actualització i, si ho han previst, les garanties.

c) Si escau, el règim de relacions personals amb els avis i els germans que no convisquin en el mateix domicili.

2. I també ha de contenir, si escau:

a) La prestació compensatòria que s'atribueix a un dels cònjuges, indicant-ne la modalitat de pagament i, si escau, la durada, els criteris d'actualització i les garanties.

b) L'atribució o distribució de l'ús de l'habitatge familiar amb el seu parament.

c) La compensació econòmica per raó de treball.

d) La liquidació del règim econòmic matrimonial i la divisió dels béns en comunitat ordinària indivisa.

3. A més, els cònjuges també poden acordar en conveni regulador aliments per als fills majors d'edat o emancipats que no tinguin recursos econòmics propis.

4. MESURES DEFINITIVES ACORDADES PER L'AUTORITAT JUDICIAL

En els procediments contenciosos de separació, divorci o nul·litat matrimonial, l'autoritat judicial dictarà sentència en la que acordarà les mesures definitives que regiran la nova situació i decidirà sobre tots aquells aspectes sobre els que els cònjuges no hagin arribat a cap acord (tal vegada mitjançant la mediació). Amb aquest objectiu es practicarà la prova que els cònjuges o el Ministeri Fiscal proposi i la que el Tribunal acordi d'ofici sobre els fets que siguin rellevants per la decisió de les mesures a adoptar (art. 774 LEC). En el supòsit que s'haguessin acordat amb anterioritat mesures provisionals, les definitives vindran a substituir-les.

Les qüestions sobre les que l'autoritat judicial ha d'acordar les mesures definitives són (art. 233-4 CCat):

a) L'exercici de les responsabilitats parentals, incloent-hi el deure d'aliments i, si escau, el règim de relacions personals amb avis i germans.

b) A instància del cònjuge amb qui convisquin pot acordar aliments per als fills majors d'edat o emancipats.

c) Si algun cònjuge ho sol·licita, ha d'adoptar les mesures pertinents respecte l'ús de l'habitatge familiar i el seu parament, la prestació compensatòria, la compensació econòmica per raó del treball si el règim econòmic és el de separació de béns, la liquidació del règim econòmic matrimonial i la divisió dels béns comuns o en comunitat ordinària indivisa.

d) Garanties del compliment de les mesures.

5. L'EXECUCIÓ FORÇOSA DE LES MESURES DEFINITIVES

L'art. 776 LEC estableix algunes especialitats en relació a l'execució forçosa de les mesures definitives:

1°. Al cònjuge o progenitor que incompleixi de manera reiterada les obligacions de pagament de quantitat que li corresponen el lletrat de l'Administració li pot imposar multes coercitives.

2°. En cas d'incompliment d'obligacions no pecuniàries de caràcter personalíssim, no procedirà la substitució automàtica per l'equivalent pecuniari i si escau es podran mantenir les multes coercitives per més d'un any.

3°. L'incompliment reiterat de les obligacions derivades del règim de visites podrà donar lloc a la modificació pel Tribunal del règim de guarda i relacions personals.

4°. Cal sol·licitar la declaració de despesa extraordinària prèvia al despatx d'execució de la quantitat reclamada per aquest concepte.

6. ELS PACTES FORA DE CONVENI REGULADOR

El CCCat regula per primera vegada els acords amistosos de separació. L'art. 231-20 CCCat preveu la possibilitat que els cònjuges poden haver celebrat pactes en previsió d'una ruptura matrimonial atorgats en capítols matrimonials o en una escriptura pública i també els poden haver adoptat després de la ruptura de la convivència fora de la proposta de conveni regulador, generalment abans de formalitzar aquesta.

Per regla general, aquests pactes vinculen els cònjuges que en la demanda de nul·litat, separació o divorci poden exigir-ne el compliment i que s'incorporin a la sentència. També poden demanar que s'incorporin al procediment sobre mesures provisionals perquè siguin recollits per la resolució judicial, si escau (art. 233-5 CCCat).

Amb tot, el legislador limita (condiciona) l'eficàcia dels pactes en els casos següents:

a) Els pactes adoptats després de la ruptura de la convivència sense assistència lletrada independent per a cadascun dels cònjuges, es poden deixar sense efecte, a instància de qualsevol d'ells, durant els tres mesos següents a la data en què són adoptats i, com a màxim, fins al moment de la contestació de la demanda o, si escau, de la reconvenció en el procés matrimonial en què es pretenguin fer valer. En aquest supòsit el legislador parteix de la idea que aquests pactes es poden haver adoptat sense la reflexió oportuna ateses les circumstàncies extraordinàries de la situació personal en el moment de la crisi matrimonial. Per això, malgrat que els hi reconeix caràcter vinculant, estableix un termini de revocació per a garantir que s'hagin adoptat lliurament: "aquesta possibilitat —diu l'exposició de motius de la llei 15/2010— es justifica pel context especial en què les parts subscriuen aquests acords" (desequilibri d'informació, situació d'angoixa o estrés)

b) Els pactes en matèria de guarda i de relacions personals amb els fills menors, i els d'aliments a favor d'aquests, només són eficaços si són conformes a llur interès en el moment en què se'n pretengui el compliment. De manera que l'eficàcia del pacte es subjecte a l'interès dels fills en aplicació de l'interès superior del menor.

7. LA MEDIACIÓ FAMILIAR

La mediació familiar es troba regulada a l'art. 233-6 CCCat i li és d'aplicació la Llei 15/2009, de 22 de juliol, de mediació en l'àmbit del dret privat.

En qualsevol fase del procediment matrimonial (també en l'execució), els cònjuges poden sotmetre les seves discrepàncies a la mediació i mirar d'arribar així a un acord total o parcial. S'exclouen d'aquesta possibilitat els casos de violència familiar o masclista.

També l'autoritat judicial pot remetre els cònjuges a una sessió informativa sobre mediació, si considera que, ateses les circumstàncies del cas, encara és possible arribar a un acord, tot i que la mediació és sempre voluntària.

Les parts poden demanar de mutu acord la suspensió del procés mentre dura la mediació, que s'aixecarà amb la comunicació del desistiment o de l'acord obtingut. Un cop iniciada la mediació, el seu desistiment no pot perjudicar els litigants.

En tot cas, els acords obtinguts en la mediació s'han de sotmetre a l'aprovació judicial en els mateixos termes que el conveni regulador. Per això resulta reiteratiu l'últim apartat de l'art. 233-6 CCCat que disposa que els acords en mediació respecte el règim d'exercici de la responsabilitat parental es consideren adequats per als interessos del menor i la manca d'aprovació judicial solament es pot fonamentar en criteris d'ordre públic i interès del menor.

8. MODIFICACIÓ DE MESURES

El conveni regulador o la sentència poden preveure anticipadament les modificacions pertinents.

En tot cas, les mesures establertes en un procés matrimonial o per un conveni atorgat davant notari o lletrat de l'Administració de justícia es poden modificar, mitjançant una resolució judicial posterior, si variem substancialment les circumstàncies concurrents en el moment de dictar-les. Aquestes peticions es tramitaran pel procediment previst a l'art. 770 LEC (contenciós), tot i que si la petició es fa de mutu acord o per un dels cònjuges amb el consentiment de l'altre i acompanyat de proposta de conveni regulador, regirà el procediment establert a l'art. 777 LEC. Les parts poden sol·licitar en la demanda o en la contestació, la modificació provisional de les mesures definitives concedides en un plet anterior (art. 775 LEC).

També es poden modificar, en tot cas, de comú acord entre els cònjuges dins les seves facultats d'actuació.

Si la part que sol·licita judicialment la modificació de les mesures establertes per alteració substancial de circumstàncies ha intentat arribar a un acord extrajudicial iniciant un procés de mediació, la resolució que modifica les mesures pot retrotraure els efectes a la data d'inici del procés de mediació (art. 233-7 CCCat).

9. LA CURA DELS FILLS

En relació a la cura dels fills regeix el principi general que la nul·litat del matrimoni, el divorci o la separació no alteren les responsabilitats que els progenitors tenen envers els fills, de tenir-ne cura, prestar-los aliments en el sentit més ampli, conviure-hi, educar-los i proporcionar-los una formació integral, administrar el patrimoni dels fills i representar-los (236-17.1 CCCat). De manera que aquestes responsabilitats mantenen el caràcter compartit i, en la mesura que sigui possible, s'han d'exercir conjuntament (art. 233-8.1 CCCat).

En aquest sentit, el preàmbul de la Llei 25/2010 afirma que el Llibre II "abandona el principi general segons el qual el trencament de la convivència entre els progenitors significa automàticament que els fills s'han d'apartar d'un per a encomanar-los individualment a l'altre. Per contra, s'introdueix com a norma que la nul·litat, el divorci o la separació no alteren les responsabilitats dels progenitors envers els fills. En conseqüència, aquestes responsabilitats mantenen, després de la ruptura, el caràcter compartit i correspon a l'autoritat judicial determinar, si no hi ha acord sobre el pla de parentalitat o si aquest no s'ha aprovat, com s'han d'exercir les responsabilitats parentals i, en particular, la guarda del menor, atenint-se al caràcter conjunt d'aquestes i al interès superior del menor". El mateix preàmbul aclareix el que el legislador considera que constitueix materialment el superior interès del menor i que és, en general, la coparentalitat i el manteniment de les responsabilitats compartides, de manera que el fill continuï mantenint una relació estable amb els dos progenitors. I afirma que "la igualtat de drets i deures entre els progenitors elimina les dinàmiques de guanyadors i perdedors, i afavoreix la col·laboració en els aspectes afectius, educatius i econòmics".

Amb tot, és clar que el cessament de la convivència dels progenitors impedeix que els fills continuïn convivint amb els dos alhora i requereix que s'adoptin un conjunt de noves mesures que fan referència a: 1) la responsabilitat parental; 2) l'exercici de la guarda; 3) les relacions personals amb els avis i els germans; i 4) la supervisió de les relacions personals en situacions de risc.

Per a determinar com s'han d'exercir les responsabilitats parentals els cònjuges presentaran una proposta de pla de parentalitat (art. 233-8.2 CCCat) i l'autoritat judicial, decidirà atenent de manera prioritària l'interès del menor (art. 233-8.3 CCCat).

9.1. El pla de parentalitat

El pla de parentalitat s'ha definit com les "declaracions del progenitor o dels progenitors —si és de mutu acord—, relacionats amb la guarda del menor per a l'organització de la vida diària amb una finalitat preventiva destinada a resoldre els problemes més freqüents que puguin sorgir, de manera que s'evitin futures disputes entre els pares" (STSJ 20/2014, de 20 de març).

El pla de parentalitat s'ha de presentar tant en els processos de mutu acord, on forma part del conveni regulador, com en els processos contenciosos, on cada progenitor presentarà una proposta. En ell es documenta com es concreta la manera que ambdós progenitors exerciran les responsabilitats parentals. S'hi han de fer constar els compromisos que assumeixen respecte a la guarda, la cura i l'educació dels fills (art. 233-9 CCCat) i específicament hi han de constar els aspectes següents:

a) El lloc o llocs on viuran els fills habitualment. S'hi han d'incloure regles que permetin determinar a quin progenitor correspon la guarda en cada moment.

b) Les tasques de què s'ha de responsabilitzar cada progenitor amb relació a les activitats quotidianes dels fills

c) La manera com s'han de fer els canvis en la guarda i, si s'escau, com s'han de repartir els costos que generin

d) El règim de relació i de comunicació amb els fills durant els períodes en què un progenitor no els tingui amb ell.

e) El règim d'estades dels fills amb cadascun dels progenitors en períodes de vacances i en dates especialment assenyalades per als fills, per als progenitors o per llur família

f) El tipus d'educació i les activitats extraescolars, formatives i de lleure, si s'escau

g) La manera de complir el deure de compartir tota la informació sobre l'educació, la salut i el benestar dels fills

h) La manera de prendre les decisions relatives al canvi de domicili i a altres qüestions rellevants per als fills.

No es fa referència en canvi en el pla de parentalitat ni als aliments que han de satisfer els progenitors als fills ni a l'ús de l'habitatge habitual o altres qüestions que es recullen fora del pla, per bé que també formen part del contingut del conveni regulador.

Les propostes de pla de parentalitat poden preveure la possibilitat de recórrer a la mediació familiar per a resoldre les diferències derivades de l'aplicació del pla, o la conveniència de modificar-ne el contingut per a adaptar-lo a les necessitats de les diferents etapes de la vida dels fills.

L'incompliment de l'aportació del pla de parentalitat amb la demanda pot comportar la nul·litat de les actuacions, segons les circumstàncies del supòsit examinat, tenint present la seva transcendència en relació amb altres béns o valors més essencials com són el de l'interès del menor i l'aplicació de principis com els de conservació dels actes processals (STSJC 23/2014, de 7 d'abril).

9.2. L'exercici de la guarda

D'acord amb l'art. 233-10 CCCat la guarda s'ha d'exercir de la manera convinguda en el pla de parentalitat, llevat que resulti perjudicial per als fills. Si no hi ha acord o aquest no s'ha aprovat, l'autoritat judicial determinarà la manera d'exercir la guarda: "atenint-se al caràcter conjunt de les responsabilitats parentals d'acord amb l'art. 233-8.1. Tanmateix, l'autoritat judicial pot disposar que la guarda s'exerceixi de manera individual si convé més a l'interès del fill. Excepcionalment la pot encomanar als avis, altres parents, persones pròximes o a una institució idònia, a les quals es poden conferir funcions tutelars amb suspensió de la potestat parental".

Així doncs, el CCCat parteix de la idea que el principi general de la coresponsabilitat de la parentalitat naturalment es correspon amb una guarda compartida, malgrat que accepta que la guarda s'exerceixi per un sol dels progenitors (de manera individual) si convé més a l'interès del fill.

A l'art. 233-11 CCCat es relacionen els criteris que l'autoritat judicial ha de considerar per a determinar el règim i la manera d'exercir la guarda, a falta d'acord entre els progenitors. Ha de tenir en compte el que estableixin les propostes de pla de parentalitat i, també, els criteris i circumstàncies següents, ponderats conjuntament:

a) La vinculació afectiva entre els fills i cadascun dels progenitors i altres persones amb les que conviuen

b) L'aptitud dels progenitors per a garantir el benestar dels fills i la possibilitat de procurar-los un entorn adequat

c) L'actitud de cadascun dels progenitors per a cooperar amb l'altre a fi d'assegurar la màxima estabilitat als fills

d) El temps que cadascun dels progenitors havia dedicat a l'atenció dels fills abans de la ruptura i les tasques que efectivament exercia per a procurar-los el benestar

e) L'opinió expressada pels fills

f) Els acords en previsió de la ruptura adoptats abans d'iniciar-se el procediment

g) La situació dels domicilis dels progenitors, i els horaris i les activitats dels fills i dels progenitors

En l'atribució de la guarda, no es poden separar els germans, llevat que les circumstàncies ho justifiquin. I no es pot atribuir la guarda al progenitor contra el qual s'hagi dictat una sentència ferma per actes de violència familiar o masclista ni mentre hi hagin indicis que pugui haver comès actes d'aquest tipus.

Tots aquests criteris, que no es poden considerar una relació tancada o numerus calusus i tracten d'identificar l'interès superior del menor.

9.3. Relacions personals amb els avis i els germans

En reconeixement al caràcter privilegiat de les relacions dels menors amb l'entorn més proper, particularment amb els avis i els germans, s'estableix la manera que es pot fer efectiu el dret dels fills menors a mantenir aquestes relacions personals.

D'acord amb l'art. 233-12.1 CCCat "Si els cònjuges proposen un règim de relacions personals de llurs fills amb els avis i amb els germans majors d'edat que no convisquin en la mateixa llar, l'autoritat judicial el pot aprovar amb audiència prèvia dels interessats i sempre que aquests donin el consentiment".

La referència als germans majors d'edat que no convisquin en la mateixa llar, s'hauria de fer extensiva als germans menors d'edat, ja que malgrat que en principi els germans no se separen al atribuir-ne la guarda, en casos excepcionals es poden separar (art. 233-11 CCCat), i aleshores podria semblar convenient establir un règim de relacions personals entre ells. També es pot preveure que germans menors d'edat no convisquin en la mateixa llar en el cas del trencament d'una segona relació de convivència, quan els fills comuns de la segona relació tenen germans (mitjos germans) per part de pare o de mare que convisquin amb l'altre progenitor (del primer cònjuge o parella). Per això seria millor no distingir entre germans menors i majors d'edat, com fa l'art. 233-1 c) en seu de mesures provisionals.

Igualment sembla que es pot valorar l'establiment d'un règim de relacions personals amb altres persones pròximes (així s'hi refereix l'art. 233-13 CCCat), com les d'un dels cònjuges cap el fill del seu cònjuge amb qui ha conviscut, si l'interès del fill ho justifica. En aquest sentit cal recordar que l'art. 236-15 CCCat admet la possibilitat d'atribuir excepcionalment la guarda del fill en cas de mort al cònjuge o convivent en parella estable del progenitor, de manera que sembla que si s'accepta el més també s'ha d'acceptar el menys.

L'aprovació per part de l'autoritat judicial del règim de relacions personals proposat pels cònjuges requereix l'audiència prèvia i el consentiment de les persones a favor de les quals es concedeix, que resten legitimades a demanar-ne l'execució (art. 233-12 CCCat).

9.4. Supervisió de les relacions personals en situacions de risc

D'acord amb l'art. 233-13, l'autoritat judicial pot adoptar mesures perquè les relacions personals del menor amb el progenitor que no exerceix la guarda o amb els avis, els germans o altres persones pròximes es desenvolupin en condicions que en garanteixin la seguretat i l'estabilitat emocional. Si hi ha risc social o perill, es pot confiar la supervisió de la relació a la xarxa de serveis socials o a un punt de trobada familiar.

La supervisió pot consistir en el control de les entregues i recollides, en la vigilància de la relació dins el centre, en l'assistència per facilitar la relació o en qualsevol altra modalitat d'intervenció que sigui adequada.

10. L'OBLIGACIÓ D'ALIMENTS A FAVOR DELS FILLS

A falta d'acord entre els cònjuges, l'autoritat judicial ha d'adoptar les mesures definitives pertinents sobre el deure d'aliments a favor dels fills menors d'edat. A instància del cònjuge amb qui els fills convisquin, pot acordar també aliments per als fills majors d'edat o emancipats tenint en compte el que estableix l'art. 237-1 CCCat, i que aquests aliments es mantinguin fins que els dits fills tinguin ingressos propis o estiguin en disposició de tenir-ne (art. 233-4.1 CCCat).

El cònjuge que no és progenitor, en el cas de fills no comuns, després de la ruptura no té obligació d'aliments envers als fills de la seva parella que hagin conviscut amb ells, i això malgrat que mentre convivien els aliments sí es consideraven despeses familiars (art. 231-5.2 CCCat).

La manera d'exercir la guarda no altera el contingut de l'obligació d'aliments envers els fills comuns, si bé cal ponderar el temps de permanència dels menors amb cadascun dels progenitors i les despeses que cadascun d'ells hagi assumit pagar directament (art. 233-10.3 CCCat). D'aquí que la jurisprudència tingui declarat que també quan el sistema de guarda adoptat és el de guarda compartida pot existir pensió d'aliments: "en el caso de guarda compartida no cesa la obligación de alimentos en función de las necesidades del menor o menores y posibilidades de los padres, por lo que en el caso de que se acredite que la capacidad económica de uno de los progenitores es muy superior a la del otro para evitar que las posibles desigualdades económicas puedan alterar la estabilidad del menor, se puede optar para compensar la menor capacidad económica de uno de ellos por un sistema de cuenta común o por el establecimiento de una pensión de alimentos a favor del menor entregada al progenitor que ostente una menor capacidad económica, y ello cuando el tiempo de permanencia con los hijos/hijas sea idéntico" (STSJC 68/2013, de 28 de novembre).

Pel càlcul de la quantia de l'obligació d'aliments cal ponderar el temps de permanència dels menors amb cadascun dels progenitors i les despeses que cadascun d'ells hagi assumit pagar directament (art. 233-10-3 CCCat). També s'ha de ponderar, si és el cas, l'atribució de l'ús de l'habitatge, quan aquest pertany en tot o en part al cònjuge que no és beneficiari, com a contribució en espècie (art. 233-20 CCCat).

Cal recordar que l'art. 233-2 CCCat, quan relaciona les mesures definitives proposades per conveni regulador estableix, pel que fa als aliments, que el conveni ha de contenir els aliments que han de prestar els progenitors "tant respecte les necessitats ordinàries com a les extraordinàries, indicant-ne la periodicitat, la modalitat de pagament, els criteris d'actualització i, si ho han previst, les garanties".

Sembla evident que quan a manca d'acord dels cònjuges és l'autoritat judicial qui determina el deure d'aliments també haurà de preveure aquests aspectes, acordant el que tingui per convenient però especificant pel que fa a les despeses ordinàries i extraordinàries la periodicitat i modalitat del pagament, criteris d'actualització i si escau, garanties.

En relació a la determinació del deure d'aliments a favor dels fills majors d'edat o emancipats, cal destacar que solament procedeixen si aquests no tenen recursos econòmics propis i fins que tinguin ingressos propis o estiguin en disposició de tenir-ne (art. 233-2.6 CCCat). A més, l'art. 233-4 CCCat sembla requerir que convisquin amb un dels progenitors, doncs diu que l'autoritat judicial els acordarà a instància del cònjuge amb qui els fills convisquin. Tot i que d'acord amb el que estableix l'art. 237-1 CCCat —norma a la que es remet expressament l'art. 233-4 CCCat— el deure d'aliments dels progenitors envers els fills menors no es condiciona a aquesta circumstància.

També cal recordar que com a novetat el Llibre II exigeix que l'estat de necessitat en el que es troba l'alimentista no es degui a una causa que li sigui imputable. En aquest sentit estableix que "S'entén per aliments tot el que és indispensable per al manteniment, l'habitatge, el vestit i l'assistència mèdica de la persona alimentada, i també les despeses per a la formació si aquesta és menor i per a la continuació de la formació, un cop assolida la majoria d'edat, si no l'ha acabada abans per una causa que no li és imputable, sempre que mantingui un rendiment regular" (art. 237-1 CCCat).

Les obligacions d'aliments envers els fills —potser els d'una nova relació— influiran en la determinació de la capacitat econòmica del progenitor alhora de fixar la prestació compensatòria a favor del cònjuge. En aquesta línia, l'art. 233-18 CCCat estableix que "Per a determinar la capacitat econòmica del deutor, s'han de tenir en compte llurs noves despeses familiars i s'ha de donar prioritat al dret d'aliments de tots els seu fills"; i també l'art. 233-14 CCCat disposa que per a la determinació de la prestació compensatòria s'ha d'estar al nivell de vida que pugui mantenir l'obligat al pagament, tenint en compte el dret d'aliments dels fills, que és prioritari.

11. LA PRESTACIÓ COMPENSATÒRIA

La prestació compensatòria es regula a l'art. 233-14 CCCat que disposa: "El cònjuge la situació econòmica del qual, com a conseqüència de la ruptura de la convivència, resulti més perjudicada té dret a una prestació compensatòria que no excedeixi el nivell de vida de què gaudia durant el matrimoni ni el que pugui mantenir el cònjuge obligat al pagament, tenint en compte el dret d'aliments dels fills, que és prioritari. En cas de nul·litat del matrimoni, hi té dret el cònjuge de bona fe, en les mateixes circumstàncies".

Per a la determinació de la quantia i la durada de la prestació compensatòria s'ha de valorar especialment, d'acord amb l'art. 233-15 CCCat:

a) La posició econòmica dels cònjuges, tenint en compte, si escau, la compensació econòmica per raó de treball o les previsibles atribucions derivades de la liquidació del règim econòmic matrimonial.

b) La realització de tasques familiars o altres decisions preses en interès de la família durant la convivència, si això ha minvat la capacitat d'un dels cònjuges d'obtenir ingressos.

c) Les perspectives econòmiques previsibles dels cònjuges, tenint en compte llur edat i estat de salut i la manera com s'atribueix la guarda dels fills comuns.

d) La durada de la convivència.

e) Les noves despeses familiars del deutor, si escau.

I l'art. 233-18.2 CCCat insisteix en el fet que per a determinar la capacitat econòmica del deutor, s'han de tenir en compte llurs noves despeses familiars i s'ha de donar prioritat al dret d'aliments de tots els seus fills —també els d'altres relacions de parella—.

Quant als pactes sobre la prestació compensatòria, l'art 233-16 reconeix la possibilitat que els cònjuges pactin la modalitat, la quantia, la durada i l'extinció de la prestació compensatòria en pactes en previsió d'una ruptura matrimonial celebrats en capítols matrimonials o en una altra escriptura pública, i els sotmet al règim especial d'eficàcia especial previst a l'art. 231-20 CCCat (art. 233-16.1 CCCat). En tot cas, limita l'eficàcia de la renúncia a la prestació compensatòria, al establir que "Els pactes de renúncia no incorporats a un conveni regulador no són eficaços en allò que comprometin la possibilitat d'atendre les necessitats bàsiques del cònjuge creditor" (art. 233-16.2 CCCat).

Pel que fa a les modalitats de pagament, l'art. 233-17 CCCat contempla la possibilitat de pagar d'un sol cop la prestació i, en cas que s'opti per la modalitat de pensió, en el caràcter limitat d'aquesta. Així, disposa que:

"1. La prestació compensatòria es pot atribuir en forma de capital, sia en béns o en diners, o en forma de pensió. En cas de desacord, l'autoritat judicial ha d'emetre una resolució sobre la modalitat de pagament atenent les circumstàncies del cas i, especialment, la composició del patrimoni i els recursos econòmics del cònjuge deutor.

2. En cas d'atribució en forma de capital, l'autoritat judicial, a petició del cònjuge deutor, pot ajornar el pagament o ordenar que es faci a terminis, amb un venciment màxim de tres anys i amb meritació de l'interès legal a comptar del reconeixement.

3. En cas d'atribució en forma de pensió, aquesta s'ha de pagar en diners i per mensualitats avançades. A petició de part, es poden establir garanties i fixar criteris objectius i automàtics d'actualització de la quantia.

4. La prestació compensatòria en forma de pensió s'atorga per un període limitat, llevat que hi concorrin circumstàncies excepcionals que justifiquin de fixar-la amb caràcter indefinit".

La prestació compensatòria fixada en forma de pensió només es pot modificar per a disminuir-ne l'import si millora la situació econòmica de qui la percep o empitjora la de qui la paga (art. 233-18.1 CCCat).

El dret a la prestació compensatòria s'extingeix per les següents causes (art. 233-19.1 CCCat):

a) Per la millora de la situació econòmica del creditor, si aquesta millora deixa de justificar la prestació, o per empitjorament de la situació econòmica de l'obligat al pagament, si aquest empitjorament justifica l'extinció del dret.

b) Per matrimoni del creditor o per convivència marital amb una altra persona.

c) Per la mort del creditor.

d) Pel venciment del termini pel qual es va establir.

El dret a la prestació compensatòria fixada en forma de pensió no s'extingeix per la mort de l'obligat al pagament, encara que el creditor o els hereus del deutor en poden demanar la substitució pel pagament d'un capital, tenint en compte l'import i, si escau, la durada de la pensió, i també l'actiu hereditari líquid en el moment de la mort del deutor (art. 233-19.2 CCCat).

12. L'ATRIBUCIÓ O DISTRIBUCIÓ DE L'ÚS DE L'HABITATGE FAMILIAR EN LA RUPTURA DEL MATRIMONI

Els articles 233-10 a 233-25 CCCat es dediquen a regular l'atribució o distribució de l'ús de l'habitatge familiar en cas de ruptura del matrimoni. Aquests preceptes incorporen importants novetats en relació a aquesta matèria respecte el que establia el Codi de Família. En aquest sentit, disposa el Preàmbul de la Llei 25/2010 que "Es vol posar fre a una jurisprudència excessivament inclinada a dotar de caràcter indefinit l'atribució, en detriment dels interessos del cònjuge titular".

Altres novetats que incorpora el Llibre II són el reconeixement exprés del fet que la l'atribució de l'ús de l'habitatge s'ha de ponderar en la fixació dels aliments dels fills i de la prestació compensatòria; la possibilitat de substituir l'atribució de l'ús per una quantia de diners que cobreixi les necessitats d'habitatge del cònjuge i els fills; i la previsió de les causes expresses d'extinció del dret d'ús, entre les que es compten la millora de la situació econòmica del beneficiari o l'empitjorament de la situació econòmica de l'altre cònjuge, i el matrimoni o la convivència marital del cònjuge beneficiari amb una altra persona. També s'estableix una disposició relativa a les obligacions per raó de l'habitatge que indica quines obligacions són a càrrec del titular de la propietat i quines a càrrec del titular del dret d'ús.

Els cònjuges poden acordar l'atribució de l'ús de l'habitatge familiar amb el seu parament a un d'ells o la seva distribució per períodes determinats. En tot cas, l'atribució de l'ús es pot computar, en la part que escaigui, a fi de satisfer els aliments dels fills comuns que convisquin amb el beneficiari de l'ús o la prestació compensatòria d'aquest (art. 233-20.1 CCCat).

A falta d'acord, o si aquest no és aprovat, l'art. 233-20.2 CCCat estableix la regla general que l'autoritat judicial atribuirà l'ús de l'habitatge familiar preferentment al progenitor a qui correspongui la guarda dels fills comuns mentre duri aquesta. Essent així, però, el dret d'ús s'extingeix a l'arribada dels fills a la majoria d'edat, perquè en aquest moment s'extingeix la potestat, i per tant la guarda. Això sense perjudici que s'hagi previst que aquest dret es perllongarà després d'arribar els fills a la majoria d'edat.

El dret d'ús dels fills és conseqüència directa de l'obligació dels pares de tenir-los en la seva companyia i no constitueix cap dret específic (i menys encara de naturalesa real, que es pugui inscriure en el registre) diferent del d'exigir el compliment dels deures inherents a la potestat del pare i de la mare (RDGEJ de 22 de març de 2007).

Malgrat la regla general que estableix l'art. 233-20.2 CCCat, l'apartat tercer d'aquest precepte disposa un seguit d'excepcions en les que l'autoritat judicial ha d'atribuir l'ús de l'habitatge familiar al cònjuge més necessitat de protecció. Són les següents:

a) Si la guarda dels fills queda compartida o distribuïda entre els progenitors.

b) Si els cònjuges no tenen fills o aquests són majors d'edat.

c) Si malgrat correspondre-li l'ús de l'habitatge per raó de la guarda dels fills és previsible que a necessitat del cònjuge es perllongui després d'arribar els fills a la majoria d'edat.

I s'afegeix que excepcionalment, encara que hi hagi fills menors, l'autoritat judicial pot atribuir l'ús de l'habitatge familiar al cònjuge que no en té la guarda si és el més necessitat i el cònjuge a qui correspon la guarda té mitjans suficients per a cobrir la seva necessitat d'habitatge i la dels seus fills (art. 233-20.4 CCCat).

En tot cas, l'atribució de l'ús de l'habitatge a un dels cònjuges s'ha de fer amb caràcter temporal i és susceptible de pròrroga, també temporal, si es mantenen les circumstàncies que la van motivar. La pròrroga s'ha de demanar, al més tard, sis mesos abans del venciment del termini i s'ha de tramitar pel procediment establert per a la modificació de mesures definitives (art. 233-20.5 CCCat). En aquest sentit, la jurisprudència del TSJC ha manifestat que "el Codi Civil de Catalunya no contempla una atribució indefinida de l'ús de l'habitatge familiar, sinó que l'art. 233-20.5 estableix, en tot cas, i malgrat la situació de necessitat que l'atribució sigui sempre temporal, sense perjudici de pròrroga, també temporal, si es mantenen les circumstàncies que la van motivar" (STSJC 11/2014, de 24 de febrer).

L'art. 233-20.6 CCCat preveu que l'autoritat judicial pot substituir l'atribució de l'ús de l'habitatge familiar pel d'una altra residència sempre que sigui idònia per a satisfer les necessitats d'habitatge del cònjuge i els fills. S'entén que aquesta substitució s'haurà de fer a instància del cònjuge interessat i de forma motivada.

I en tot cas, l'atribució de l'ús de l'habitatge familiar, si pertany en tot o en part al cònjuge que no n'és beneficiari, s'ha de ponderar com a contribució en espècie per a la fixació dels aliments dels fills i de la prestació compensatòria de l'altre cònjuge, si escau (art. 233-20.7 CCCat).

Però encara s'estableixen altres casos que poden comportar que l'autoritat judicial exclogui el dret d'ús al cònjuge beneficiari en una situació que en la que en principi li correspondria, d'acord amb el que estableixen els criteris vistos anteriorment. Són el següents (art. 233-21.1 CCCat):

a) Si el cònjuge que seria beneficiari de l'ús per raó de la guarda dels fills té mitjans suficients per a cobrir la seva necessitat d'habitatge i la dels fills

b) Si el cònjuge que hauria de cedir l'ús pot assumir i garantir suficientment el pagament de les pensions d'aliments dels fills i, si escau, de la prestació compensatòria de l'altre cònjuge en una quantia que cobreixi a bastament les necessitats d'habitatge d'aquests.

Per tal que procedeixi aquesta exclusió cal que ho demani el cònjuge que no resultaria beneficiari de l'ús i, malgrat que no ho diu el precepte, sembla que caldrà que justifiqui raons d'especial vinculació amb l'habitatge per les que en demana l'ús, que poden ser motius professionals, com el fet que en aquell habitatge hi tingui un despatx, o una seu empresarial; o fins i tot de caire més íntim o sentimental, com ara que és l'habitatge on s'ha viscut des de petit perquè era la casa dels pares, per exemple. Evidentment li correspondrà demostrar que el cònjuge que en seria beneficiari té mitjans suficients per a cobrir la seva necessitat d'habitatge i la dels seus fills, o assumir el pagament d'una quantia que cobreixi aquestes necessitats, en el seu cas.

L'art. 233-21 CCCat també s'ocupa d'establir uns límits a l'atribució de l'ús de l'habitatge. Així, d'una banda, estableix expressament la tesis, sustentada per la doctrina jurisprudencial, que els efectes de l'atribució judicial de l'ús queden limitats pel que disposi el títol amb base al qual es posseeix l'habitatge si aquest és diferent al de propietat, amb una expressa referència a la situació de precari en els següents termes: "Si els cònjuges detenen l'habitatge familiar per la tolerància d'un tercer, els efectes de l'atribució judicial del seu ús acaben quan aquest en reclama la restitució. Per aquest cas, d'acord amb el que estableix l'article 233-7.2, la sentència pot ordenar l'adequació de les prestacions alimentàries o compensatòries pertinents" (art. 233-21.2 CCCat).

Per últim, estableix unes altres limitacions, en aquest cas a la renúncia al dret a l'ús de l'habitatge familiar. D'una banda, reconeix la possibilitat que els cònjuges pactin sobre l'atribució o distribució de l'ús de l'habitatge i sobre les modalitats d'aquest ús, en previsió d'una ruptura matrimonial, tot i que no reconeix eficàcia als pactes que perjudiquin al fills. D'una altra, en la mateix línia en la que limita la renúncia al dret a la prestació compensatòria (art. 233-16 CCCat) estableix que "No són eficaços els pactes.... si no s'han incorporat a un conveni regulador, els que comprometin les possibilitats d'atendre les necessitats bàsiques del cònjuge beneficiari de l'ús" (art. 233-21.3 CCCat).

El dret d'ús de l'habitatge familiar atribuït al cònjuge es pot inscriure en el Registre de la Propietat (art. 233-22 CCCat).

El legislador ha decidit establir a qui corresponen les obligacions per raó d'habitatge en cas que l'ús hagi estat atribuït a un dels cònjuges o distribuït entre ambdós, després de la ruptura del matrimoni. Distingeix entre dos tipus d'obligacions, d'una banda, les obligacions contretes per raó de la seva adquisició i millora, incloses les assegurances vinculades a aquesta finalitat, que s'han de satisfer d'acord amb el que disposi el títol de constitució; i d'una altra, les despeses ordinàries de conservació, manteniment i reparació de l'habitatge, incloses les de comunitat i subministraments, i els tributs i les taxes de meritació anual, que són a càrrec del cònjuge beneficiari del dret d'ús (art. 233-23 CCCat).

D'acord amb l'art. 233-24.1 CCCat, el dret d'ús de l'habitatge familiar s'extingeix per les causes pactades entre els cònjuges i, si es va atribuir per raó de la guarda dels fills per l'acabament de la guarda. Cal insistir doncs, en aquest punt que, a diferència del que succeïa amb la regulació anterior, quan s'ha atribuït a un cònjuge perquè té la guarda dels fills, s'extingeix per l'arribada d'aquesta a la majoria d'edat, si no és que s'ha previst expressament que es perllongaria després d'aquesta.

D'altra banda, si el dret d'ús es va atribuir per raó de la necessitat del cònjuge, s'extingeix per les següents causes (art. 233-24.2 CCCat):

a) Per la millora de la situació econòmica del cònjuge beneficiari de l'ús o per l'empitjorament de la situació econòmica de l'altre cònjuge, si això ho justifica.

b) Per matrimoni o per convivència marital del cònjuge beneficiari de l'ús amb una altra persona.

c) Per la mort del cònjuge beneficiari de l'ús.

d) Pel venciment del termini pel qual es va establir o, si s'escau, de la seva pròrroga.

e) De mutu acord entre els cònjuges o per renúncia del cònjuge beneficiari.

En tot cas, el dret d'ús de l'habitatge familiar es configura com un dret temporal i l'establiment d'aquestes causes reforcen aquesta temporalitat.

Una vegada extingit el dret d'ús, el cònjuge que és titular de l'habitatge en pot recuperar la possessió en execució de la sentència que hagi acordat el dret d'ús o de la resolució ferma sobre la durada o l'extinció d'aquest dret, i pot sol·licitar, si escau, la cancel·lació registral del dret d'ús (art. 233-24.3 CCCat).

En tot cas, el propietari o titular de drets reals sobre l'habitatge familiar en pot disposar sense el consentiment del cònjuge que en tingui l'ús i sens autorització judicial, sens perjudici del dret d'ús (art. 233-25 CCCat).

Lliçó 15
LA CONVIVÈNCIA ESTABLE EN PARELLA

Judith Solé Resina

1. LA REGULACIÓ DE LA CONVIVÈNCIA ESTABLE

Val a dir que no existeix cap norma d'àmbit estatal que reguli amb caràcter general aquesta matèria, que en canvi ha estat regulada per pràcticament totes les Comunitats Autònomes.

Malgrat que la llei catalana no va ser impugnada davant el Tribunal Constitucional, aquest al tribunal ha tingut diverses ocasions per pronunciar-se en relació a altres lleis autonòmiques sobre parelles estables i cal tenir en compte la doctrina expressada, especialment en la STC 93/2013 per quant té una relació més clara amb la norma catalana. Aquesta resolució resol un recurs de constitucionalitat contra la Ley Foral Navarra 6/2000, de 3 de juliol, para la igualdad de las parejas estables, que és una llei posterior a la llei catalana sobre unions estables de parella que després es va integrar en el Llibre II CCCat amb la que coincideix en molts preceptes que han estat declarats inconstitucionals. El judici de constitucionalitat es circumscriu fonamentalment al respecte al lliure desenvolupament de la personalitat (art. 10 CE).

El Llibre II del Codi Civil de Catalunya deroga la Llei 10/1998, del 15 de juliol, d'Unions Estables de Parella. La nova regulació de les parelles estables, es fonamenta en la norma derogada per bé que introdueix novetats importants i opta per unificar el sistema de constitució de les parelles homosexuals i heterosexuals fent igualment comuns els requisits personals i formals perquè una parella de fet es pugui considerar parella estable als efectes de l'aplicació de la llei.

El Llibre II, a diferència de la llei derogada, omet tota referència a l'àmbit d'aplicació de la llei en aquesta matèria. Atès que el Codi Civil espanyol no conté normes de conflicte sobre les parelles de fet, la determinació de l'àmbit d'aplicació de la regulació sobre parelles estables continguda al Llibre II CCCat es realitzarà per aplicació analògica de les normes establertes en el Codi Civil Espanyol per a resoldre els conflictes de llei en la regulació del matrimoni. De manera que resultaran aplicables les següents regles:

1. Quan els dos membres de la parella tinguin el mateix veïnatge civil, serà aplicable la llei de parelles de fet corresponent a aquell veïnatge civil, amb independència del lloc de residència (arts. 9.2 i 16 CCE)

2. Si els dos membres de la parella tenen diferent veïnatge civil s'haurà de distingir en funció de la forma de constitució de la unió:

   a) Si la unió s'ha constituït per escriptura pública els convivents poden haver convingut el règim de convivència i els efectes personals acollint-se a la llei corresponent al veïnatge civil o lloc de residència de qualsevol d'ells en el moment de l'atorgament (arts. 9.3, 9.2, 16.1 CCE);

   b) Quan la unió s'ha constituït automàticament serà aplicable la llei corresponent al lloc de residència habitual de la parella, de manera que regeix el criteri territorialista i no el personalista.

En qualsevol cas, no obstant, s'haurà d'utilitzar el mètode de repartició per a solucionar els conflictes que puguin sorgir en determinats àmbits; així, quant a la capacitat dels convivents o al seu règim successori regirà el dret personal respectiu; quant a les formes de constitució, els principis alternatius de l'art. 11 CCE; i respecte a l'estatut dels béns immobles, la *lex rei sitae*.

2. FORMES DE CONSTITUCIÓ

L'art. 234-1 CCCat estableix dues formes de constitució de la parella estable que valen tant per la parella homosexual com per la heterosexual: la constitució automàtica, que es dona quan dues persones conviuen més de dos anys ininterromputs en una comunitat de vida anàloga a la matrimonial, o portant menys temps de convivència tenen un fill comú; i la constitució per formalització de la parella en escriptura pública, en la que els convivents manifesten la seva voluntat de formar una parella estable.

La forma de constitució automàtica es basa en la convivència durant un temps establert o en l'existència de descendència comuna. Ambdues dades, malgrat que no la garanteixen, denoten estabilitat en la parella i permeten presumir que la convivència té una vocació de continuïtat que la fa mereixedora de la consideració de parella estable. Ara bé, la constitució automàtica de la convivència suposa que s'atorguen a la parella estable uns efectes jurídics no buscats i potser no volguts pels seus membres, que no han manifestat la seva voluntat de constituir-se com a tal.

Val a dir que el TC en la Sentència 93/2013 respecte la Llei Navarra, ha considerat que "la constitució automàtica de la parella és contrària al dret constitucional de lliure desenvolupament de la personalitat, ja que entén que els supòsits de l'any de convivència o fills en comú "condueixen a l'atribució ex lege de la condició de parella estable per la mera concurrència d'alguna d'aquestes circumstàncies, donant lloc a una qualificació jurídica de determinades situacions de fet, a la qual s'associarà l'aplicació del contingut de drets i obligacions inclòs en la regulació legal, prescindint de la voluntat conjunta dels integrants de la unió de fet de sotmetre a les previsions de la Llei Foral. La qual cosa és clar que no resulta respectuós del dret fonamental consagrat en l'art. 10.1 CE".

Cal tenir en compte que el Decret llei 3/205, de 6 d'octubre, de modificació de la Llei 25/210, va crear el Registre de parelles estables a Catalunya. En aquest Registre s'inscriuen les escriptures públiques de constitució de les parelles estables, les seves modificacions i, si s'escau, la seva extinció, com també les corresponents actes de notorietat. La inscripció té efectes de publicitat i en cap cas és constitutiva de la convivència.

3. REQUISITS PERSONALS

Pel que fa als requisits personals que han de complir els convivents, l'art. 234.2 CCCat diu que no poden constituir una parella estable:

a) Els menors d'edat no emancipats

b) Les persones relacionades per parentiu en línia recta, o en línia col·lateral dins el segon grau

c) Les persones casades i no separades de fet i

d) Les persones que convisquin en parella amb una tercera persona

Certament, d'acord amb l'art. 234.2 CCCat és possible que una persona estigui casada —no divorciada ni separada judicialment— i alhora en parella estable. És clar que les persones casades i no separades de fet no poden constituir una parella estable perquè no poden mantenir una convivència exclusiva a la vegada amb dues persones, i és que en la nova normativa és la nota de la convivència efectiva i la necessària exclusivitat la que justifica aquesta excepció.

El Preàmbul de la Llei 25/2010, explica que ha optat per possibilitar que les persones casades puguin constituir una parella estable perquè el que es persegueix al regular la convivència estable en parella es solucionar els problemes derivats del cessament de la convivència i, en aquest sentit, no es justifica un tractament diferenciat en el supòsit de que un o els dos convivents estiguin casats amb terceres persones —supòsit en que s'estima que es troben un 30% de les parelles heterosexuals a Catalunya i un nombre indeterminat de parelles homosexuals— de manera que les conseqüències en cas de ruptura s'hagin de determinar recurrent a la doctrina jurisprudencial. Amb tot, també ara es poden plantejar conflictes de difícil solució quan un o ambdós membres de la relació de convivència estable estiguin casats i separats de fet de terceres persones, perquè en la majoria dels casos no s'haurà liquidat degudament la relació anterior, i tampoc existirà la publicitat necessària als efectes del coneixement de la nova situació per part de tercers.

4. LA REGULACIÓ DE LA CONVIVÈNCIA

L'art. 234-3.1 CCCat estableix que "Les relacions de la parella estables es regulen exclusivament pels pactes dels convivents, mentre dura la convivència".

Els pactes que celebrin els convivents per regular la seva convivència poden tenir forma verbal o constar en document privat o públic i, si escau, en la pròpia escriptura pública de constitució. Tampoc es poden excloure els pactes tàcits —que es dedueixen del seu comportament— que juguen un paper important en la regulació de les relacions entre convivents que fugen dels formalismes legals, això sense perjudici que la llibertat de forma presenta el gran inconvenient de la dificultat de la prova.

Amb tot, es reconeixen efectes legals a la convivència estable en parella en l'àmbit personal. Així, el convivent en parella estable pot ser tutor o curador de la seva parella (art. 222-10 CCCat). Una recent modificació del Llibre II ha vingut a ha equiparar també el convivent al cònjuge quant a la possibilitant que el convivent major d'edat pugui assistir al convivent menor emancipat per completar la seva capacitat (art. 211-7.2, 223-1 a), 223-9 b) CCCat).

4.1. La disposició de l'habitatge habitual

Malgrat el principi general de la llibertat de pacte en la regulació de les relacions mentre dura la convivència, el Llibre II conté una norma relativa a la disposició de l'habitatge familiar, sota la justificació, explicada en el preàmbul de la Llei 25/2010, de ser una mesura de protecció de la família. En aquest sentit, l'art. 234-3.2 CCCat diu que "En matèria de disposició de l'habitatge familiar, s'aplica el que estableix l'article 231-9". Doncs bé, d'acord amb aquesta remissió a la normativa matrimonial, el convivent titular de l'habitatge familiar no pot, sense el consentiment de l'altre, fer cap acte d'alienació, de gravamen o, en general, de disposició del seu dret sobre l'habitatge familiar o sobre els mobles d'ús ordinari, que en comprometi l'ús, encara que es refereixi a quotes indivises. I afegeix el precepte que "Dit consentiment no es pot excloure per pacte ni atorgar amb caràcter general". D'aquesta manera, la limitació de la disponibilitat de l'habitatge habitual té caràcter imperatiu i afecta, en la mateixa mesura i idèntiques condicions que als cònjuges, als convivents.

4.2. Les adquisicions amb pacte de supervivència

L'art. 234-3.3 CCCat es refereix expressament a la possibilitat que els membres de la parella estable adquireixin conjuntament béns amb pacte de supervivència i fa una remissió als arts. 231-15 a 231-18 CC-Cat que regulen les adquisicions oneroses amb pacte de supervivència en el matrimoni.

Essent així, en virtut del pacte de supervivència, els convivents que adquireixen béns conjuntament a títol onerós, poden pactar en el mateix títol d'adquisició, en morir un d'ells, el supervivent es convertirà en el titular únic de la totalitat (art. 231-15 CCCat).

Són requisits de validesa de les adquisicions amb pacte de supervivència: que els adquirents siguin convivents; que el pacte de supervivència s'insereixi en el contracte d'adquisició (consti en el mateix títol); i que els convivents adquireixin conjuntament. En remetem aquí al que s'ha explicat al tractar el pacte de supervivència entre els cònjuges.

5. L'EXTINCIÓ DE LA PARELLA ESTABLE

5.1. Causes d'extinció

Les causes d'extinció de la parella estable estan recollides a l'art. 234-4.1 CCCat. Són les següents:

a) Cessament de la convivència amb trencament de la comunitat de vida

b) Mort o declaració de mort d'un dels convivents

c) Matrimoni de qualsevol dels convivents

d) Comú acord dels convivents formalitzat en una escriptura pública

e) Voluntat d'un dels convivents notificada fefaentment a l'altre

Cal assenyalar que no s'exigeix cap termini al cessament de la convivència per tal que s'entengui extingida la parella estable, simplement la fi de la comunitat de vida és suficient. També que, donat que el matrimoni és compatible amb la convivència estable en parella (d'acord amb l'art. 234-2 CCCat, poden constituir una parella estable les persones casades separades de fet), el matrimoni d'un dels convivents solament extingirà la parella quan efectivament aboqui a una comunitat de vida matrimonial. I això perquè la incompatibilitat entre ambdues relacions es basa en la impossibilitat de mantenir dues relacions de convivència exclusives, i no en la mera existència de l'estat civil de casat/da.

L'extinció de la parella estable implica la revocació dels consentiments i poders que qualsevol dels convivents hagi atorgat a favor de l'altre (art. 234-4.2 CCCat). Es tracta d'un efecte automàtic que es produeix també amb la demanda de nul·litat matrimonial, divorci o separació judicial del matrimoni (art. 233-1.5 CCCat) i respon a idèntica finalitat; la d'impedir que es faci ús d'una autorització concedida en unes circumstàncies diferents i amb base a l'existència d'una determinada relació personal.

5.2. Pactes en previsió del cessament de la convivència

L'art. 234-5 CCCat disposa que els convivents poden pactar en escriptura pública, en previsió del cessament de la convivència, els efectes de l'extinció de la parella estable, i remet per a la regulació d'aquests pactes a l'art. 231-20 CCCat.

Evidentment, en aquesta remissió s'ha de fer tenint en compte les diferències de base entre les relacions matrimonial i no matrimonial, la qual cosa implica que aquests pactes, quan es tracta de convivents, no es poden celebrar en capítols matrimonials, i que si se celebren abans de l'inici de la convivència, llur validesa es condiciona al fet que aquesta comenci dins els trenta dies següents al seu atorgament.

En tot cas, els pactes en previsió del cessament de la convivència s'han de celebrar en escriptura pública i davant notari, i presenten la mateixa problemàtica en ordre a la seva eficàcia que els pactes en previsió d'una ruptura matrimonial.

5.3. Acords assolits després del cessament de la convivència

Després del cessament de la convivència, els convivents poden acordar els efectes de l'extinció de la parella estable. Els acords assolits es poden sotmetre a aprovació judicial com una proposta de conveni que inclogui tots els efectes que l'extinció hagi de produir respecte als fills comuns i entre els convivents. Si no hi ha fills co-

muns que depenen dels convivents, aquests poden regular els efectes
de l'extinció de la parella estable per mitjà d'un conveni formulat
davant del lletrat de l'administració de justícia o en escriptura pública
davant notari (art. 234-6 CCCat).

Novament s'efectua una remissió als arts. 233-5 CCCat en relació
als acords assolits fora de conveni.

Si no hi ha acord entre els convivents, s'aplica el que estableix
l'art. 233-4 CCCat que regula les mesures definitives acordades per
l'autoritat judicial.

6. EFECTES DE L'EXTINCIÓ DE LA PARELLA ESTABLE EN VIDA DELS CONVIVENTS

La llei regula un conjunt d'efectes de l'extinció de la convivència
en vida dels convivents que afecten a l'àmbit familiar i patrimonial
dels membres de la parella estable. El legislador pretén així oferir so-
lucions a la crisi de convivència i parteix de la base que en moltes
ocasions els conflictes són idèntics als que es produeixen en les crisis
matrimonials i, per aquest motiu, les solucions també han de ser bà-
sicament les mateixes, d'aquí la presència de nombroses remissions.

Pel que fa a l'àmbit familiar es regula la qüestió de l'exercici
de la guarda dels fills i les relacions personals. Així mateix, regula
l'atribució de l'ús de l'habitatge familiar, que presenta un aspecte fa-
miliar per l'especial vinculació d'aquest bé a la família, però també un
marcat caràcter patrimonial, per quant pot configurar una part del
pagament dels aliments dels fills comuns (art. 234-8.3 CCCat).

Ja en l'àmbit estrictament patrimonial, els efectes *ex lege* de
l'extinció de la parella en vida dels convivents es concreten en la pos-
sibilitat de reclamar una compensació econòmica per raó del treball
prestat i una prestació alimentícia quan es compleixin els requisits
legalment establerts.

6.1. *Exercici de la guarda dels fills i relacions personals*

L'art. 234-7 CCCat es limita a establir que "En matèria d'exercici
de la guarda dels fills i relacions personals, s'apliquen a la parella es-
table els articles 233-8 a 233-13".

Si en algun punt es produeix una especial i completa identitat de supòsits després del cessament de la convivència matrimonial i no matrimonial és precisament en el de les relacions verticals dels progenitors que deixen de conviure i els fills comuns. En aquest sentit, és perfectament lògica la remissió a la solució que ofereixen els preceptes citats relatius a la cura dels fills després de a crisis matrimonial. Qualsevol diferència en aquest sentit estaria mancada de justificació i resultaria inadmissible amb base al principi d'igualtat dels fills i de no discriminació per raó de la filiació (art. 14 CE).

Valen, doncs, lles consideracions fetes quant a les normes relatives als efectes de la nul·litat del matrimoni, el divorci i la separació judicial, que regulen la responsabilitat parental (art. 233-8 CCCat); el pla de parentalitat (art. 233-9 CCCat); l'exercici de la guarda (art. 233-10 CCCat) i els criteris per a determinar el règim i la forma d'exercir-la (art. 233-11 CCCat); les relacions personals dels fills amb els avis i germans (art. 233-12 CCCat); i la supervisió de les relacions personals en situació de risc (art. 233-13 CCCat).

6.2. L'atribució o distribució de l'ús de l'habitatge familiar

En línies generals es pot afirmar que la regulació que disposa el Llibre II del CCCat en relació a l'atribució o distribució de l'ús de l'habitatge familiar després del cessament de la convivència de la parella estable persegueix fonamentalment protegir els fills comuns. A diferència, però, del que succeeix en els casos de crisi matrimonial, en els que també es pren en consideració l'interès del cònjuge més necessitat de protecció al distribuir o atribuir l'ús de l'habitatge, en les crisis de convivència, pràcticament s'ignora aquest factor i es tracta de respectar en major mesura els interessos del cònjuge titular de l'habitatge, que solament queden sotmesos a l'interès superior dels fills. Essent així, a falta de pacte, si no hi ha fills comuns no procedirà en cap cas l'atribució al convivent no titular de l'ús de l'habitatge, cosa que si podria succeir amb el cònjuge no titular. Aquest és el motiu principal que explica les diferències entre els arts. 234-8 y 233-20 CCCat. El primer, relatiu a la convivència en parella estable, omet tots els aspectes de protecció al convivent no titular de la vivenda que no té atribuïda la guarda dels fills que el segon ofereix al cònjuge.

En aquest sentit, l'art, 234-8.1 CCCat disposa que "Els convivents en parella estable poden acordar l'atribució a un d'ells de l'ús de l'habitatge familiar, amb el seu parament, per a satisfer en la part que sigui pertinent els aliments dels fills comuns que convisquin amb el beneficiari de l'ús o per l'eventual prestació alimentària d'aquest". A l'adjudicació de l'ús de l'habitatge familiar se li atorga, d'aquesta manera, un valor patrimonial que, si així ho acorden les parts, podrà satisfer en tot o en part els aliments que es deguin als fills o, en el seu cas al convivent. Aquest és l'únic supòsit en que es preveu la possibilitat d'atribuir l'ús al convivent no titular que no tingui la guarda dels fills: quan així ho acordin els convivents, en pagament de la pensió alimentària, si procedeix.

Malgrat que es reconeix la llibertat de pacte en relació amb aquesta matèria, s'ha de tenir present, no obstant, que no són eficaços els pactes que perjudiquin l'interès dels fills (art. 234-8.4 y 233-21.3 CCCat) que actuen com a límit d'aquesta autonomia de la voluntat.

A manca de pacte o si aquest no és aprovat, si els convivents tenen fills comuns, l'autoritat judicial pot atribuir l'ús de l'habitatge familiar tenint en compte es següents regles (art. 234-8.2 CCat): a) Preferentment, s'atribuirà al membre de la parella a qui correspongui la guarda dels fills mentre aquesta duri; i b) Si la guarda dels fills és compartida o distribuïda entre ambdós membres de la parella, al que en tingui més necessitat.

En tot cas, l'atribució de l'ús de l'habitatge familiar, si aquest pertany en tot o en part al membre de la parella que no n'és beneficiari, ha d'ésser tinguda en compte per a la fixació dels aliments als fills i la prestació alimentària que eventualment meriti l'altre membre de la parella (art. 234-8.3 CCCat).

L'art. 234-8 CCCat acaba fent una remissió als arts. 233-20.6 i. 7 i als articles 233-21 a 233-25 CCCat, que són els que regulen l'atribució o distribució de l'ús de l'habitatge familiar en les crisis matrimonials.

En aquest sentit, cal recordar que l'art. 233-20.6 CCCat estableix que l'autoritat judicial pot substituir l'atribució de l'ús de l'habitatge familiar per la d'altres residències si són idònies per a satisfer la necessitat d'habitatge del cònjuge i dels fills. Aquesta possibilitat, es podrà contemplar, doncs, també en el cessament de la convivència en parella estable.

També seran d'aplicació en matèria d'atribució i distribució de l'ús de l'habitatge familiar al cessament de la convivència estable en parella, les disposicions relatives a l'exclusió i límits de l'atribució de l'ús de l'habitatge (art. 233-21 CCCat); la publicitat del dret d'ús de l'habitatge (art. 233-22 CCCat); les obligacions per raó de l'habitatge (art. 233-23 CCCat); l'extinció del dret d'ús (art. 233-24 CCCat) i els actes dispositius sobre l'habitatge subjecte a dret d'ús (art. 233-25 CCCat).

6.3. La compensació econòmica per raó del treball

L'art. 234-9 CCCat estableix que "Si un convivent ha treballat per a la casa substancialment més que l'altre o ha treballat per a l'altre sense retribució o amb una retribució insuficient, té dret a una compensació econòmica per aquesta dedicació sempre que en el moment del cessament de la convivència l'altre hagi obtingut un increment patrimonial superior, d'acord amb les regles de l'article 232-6. S'aplica a la compensació econòmica per raó de treball el que estableixen els articles 232-5 a 232-10".

La compensació econòmica per raó de treball es regula en l'extinció de la convivència estable en parella amb el mateix fonament i idèntic plantejament a com es preveu per al supòsit de la crisi matrimonial, d'aquí la remissió en bloc a aquella normativa.

En aquest punt convé, però, precisar que cessament de la convivència en parella no provoca l'extinció i liquidació del règim econòmic, com sí que succeeix en els supòsits de crisi matrimonial perquè, com és sabut, les parelles estables, a falta de pacte, no disposen de règim econòmic matrimonial, de manera que en aquest cas la compensació econòmica per raó de treball no es pot concebre com una norma de liquidació del règim de separació de béns, ni es justifica com un instrument que tendeixi a mitigar el rigor dels efectes d'aquesta liquidació. Des d'aquesta perspectiva —i així ho reconeix el preàmbul de la Llei 25/2010— no respon a la compensació d'un enriquiment injust produït amb motiu de la convivència, sinó que tendeix a equilibrar les economies dels membres de la parella després de la seva dissolució, repartint l'increment patrimonial produït durant la convivència.

6.4. La prestació alimentària

D'acord amb l'art. 234-10.1 CCCat "Si la parella estable s'extingeix en vida dels convivents, qualsevol dels convivents pot reclamar a l'altre una prestació alimentària, si la necessita per a atendre adequadament la seva sustentació, en un dels casos següents: a) Si la convivència ha minvat la capacitat del sol·licitant d'obtenir ingressos; b) Si té la guarda de fills comuns, en circumstàncies en què la seva capacitat d'obtenir ingressos resti minvada".

Així doncs, són dos el requisits necessaris perquè es generi el dret a la prestació alimentària a favor d'un dels membres de la parella estable. En primer lloc, cal que es trobi en estat de necessitat, de manera que la necessita per a la seva adequada sustentació i, en segon lloc, aquest estat de necessitat ha de ser conseqüència de que la convivència directa o indirectament (pel fet de tenir la guarda dels fills comuns) hagi reduït la seva capacitat d'obtenir ingressos.

I és que la finalitat de la prestació alimentària és precisament la de compensar la reducció d'ingressos que ha originat la convivència, propiciant que l'ex-convivent disposi temporalment d'una situació econòmica que li permeti reintegrar-se d'una forma menys sobtada al mercat laboral, i reduir així els costos d'oportunitat que li ha generat la convivència.

Disposa l'art. 234-10.2 CCCat que els pactes de renúncia a la prestació alimentària no són eficaços en allò que comprometin la possibilitat d'atendre les necessitats bàsiques del convivent que té dret a demanar, llevat que hagin estat incorporats a una proposta de conveni presentada d'acord amb l'article 234-6. D'aquesta lletra es dedueix que solament pot ser vàlida la renúncia a la prestació alimentària —o la renúncia a la part de la prestació alimentària que respon a l'atenció de les necessitats bàsiques— que s'incorpora a una proposta de conveni, si aquest conveni és aprovat per l'autoritat judicial.

La llei no estableix cap criteri per a la quantificació de la prestació alimentària, malgrat que donat el seu caràcter fonamentalment alimentari, sembla que s'ha de recórrer, als paràmetres establerts a l'art. 237-90 CCCat per a determinar la quantia del dret d'aliments d'origen familiar, que són les necessitats de l'alimentat i els mitjans econòmics i les possibilitats de la persona obligada a prestar-los.

La prestació alimentària es pot atribuir en forma de capital o en forma de pensió (art. 234-11.1 CCCat) segons acordin les parts. A falta d'acord, l'autoritat judicial resoldrà sobre la modalitat de pagament d'acord amb les regles de l'art. 233-17 CCCat (art. 234-11.2 CCCat). D'aquesta manera decidirà atenent a les circumstàncies del cas concret i especialment a la composició del patrimoni i els recursos econòmics del cònjuge deutor. En cas de pagament en la forma capitalitzada, l'autoritat judicial, a petició del cònjuge deutor, podrà ajornar el pagament o ordenar que es faci a terminis, amb un venciment màxim de tres anys i amb meritació de l'interès legal a comptar del reconeixement. Si el pagament es fa en forma de pensió, aquesta s'ha de pagar en diners i per mensualitats avançades. A petició de part, es poden establir garanties i fixar criteris objectius i automàtics d'actualització de la quantia.

L'art. 234-11.3 CCCat disposa el caràcter temporal de la prestació alimentària en forma de pensió, amb un màxim de tres anualitats, llevat que la prestació es fonamenti en la minva de la capacitat del creditor d'obtenir ingressos derivada de la guarda de fills comuns. En aquest cas, es pot atribuir mentre duri aquesta.

La prestació alimentària en forma de pensió es pot modificar en els termes de l'art. 233-18 (art. 234-11.4 CCCat), és a dir, solament per a disminuir el seu import si millora la situació econòmica de qui la rep o empitjora la de qui la paga. En el ben entès que per a determinar la capacitat econòmica del deutor, s'han de tenir en compte les noves despeses familiars i s'ha de donar prioritat al dret d'aliments de tots els seus fills.

D'acord amb l'art. 234-12 CCCat la prestació alimentària en forma de pensió s'extingeix per les mateixes causes que s'extingeix la prestació compensatòria entre cònjuges (art. 233-19.1 CCCat). Així:

a) Per millora de la situació econòmica del creditor, si aquesta millora deixa de justificar la prestació, o per empitjorament de la situació econòmica de l'obligat al pagament, si aquest empitjorament justifica l'extinció del dret

b) Per la mort del creditor

c) Pel venciment del termini pel qual es va establir.

El dret a la prestació alimentària fixada en forma de pensió no s'extingeix per la mort de l'obligat al pagament, encara que el creditor o els hereus del deutor en poden demanar la substitució pel pagament d'un capital, tenint en compte l'import i, si s'escau, la durada de la pensió, i també l'actiu hereditari líquid en el moment de la mort del deutor (art. 233-19.2 CCCat).

6.5. Exercici dels drets a la compensació econòmica per raó de treball i a la prestació alimentària

Els drets a la compensació econòmica per raó de treball i a la prestació alimentària prescriuen en el termini d'un any a comptar de l'extinció de la parella estable i s'han de reclamar, si s'escau, en el mateix procediment en què es determinen els altres efectes de l'extinció de la parella estable (art. 234-13 CCCat).

Els drets a la compensació econòmica i a la prestació alimentària són compatibles entre sí, però s'han de reclamar conjuntament a efectes de ponderar-los adequadament. Cal seguir una seqüència lògica en la seva determinació: en primer lloc s'ha de determinar, si s'escau, la quantia en la que es concreta la compensació econòmica per raó de treball —que modifica la situació patrimonial d'ambdós convivents— i després decidir si atenent a les noves circumstàncies —la composició resultant dels patrimonis del convivents— s'ha d'establir una prestació alimentària.

7. PROCEDIMENTS RELATIUS A LA RUPTURA DE LA PARELLA ESTABLE

La Llei 25/2010, per la que s'aprova el Llibre II del CCCat, dedica la Disposició Addicional Cinquena als procediments relatius a la ruptura de la parella estable. És la primera vegada que una llei —d'àmbit autonòmic o estatal— s'ocupa de regular aquesta matèria, ja que, com és sabut, fins el moment cap norma substantiva o processal havia salvat aquesta llacuna legal. A falta de tota previsió, els procediments relatius a la ruptura de les parelles estables es desenvolupaven d'acord als procediments de divorci o separació judicial, però sense cap suport legal.

Doncs bé, la Disposició Addicional Cinquena de la Llei 25/2010 legalitza aquesta opció al remetre's als procediments matrimonials regulats a la Llei d'Enjudiciament Civil. En aquets sentit disposa que "Els procediments judicials relatius a la ruptura de la parella estable es tramiten, en allò no regulat expressament pel Codi Civil, d'acord amb el que la Llei de l'Estat 1/2000 estableix en matèria de processos matrimonials. En aquets processos, les parts poden sotmetre les discrepàncies a mediació i l'autoritat judicial els pot remetre a una sessió informativa sobre mediació, d'acord amb el que estableix l'article 233-6 del Codi Civil. Les reclamacions fonamentades en el que estableixen els articles 234-7 a 234-14 del Codi Civil s'han d'acumular en un únic procés. En el mateix procés, qualsevol dels membres de la parella pot exercir l'acció de divisió de cosa comuna respecte als béns que tinguin en comunitat ordinària indivisa. Si hi ha diversos béns en comunitat ordinària indivisa i un dels membres de la parella ho demana, l'autoritat judicial els pot considerar com una massa comuna a efectes de la formació de lots i de llur adjudicació".

D'altra banda, la recent modificació de l'art. 234-6 CCCat recull la possibilitat que els convivents regulin els efectes de l'extinció de la parella estable per mitjà d'un conveni formulat davant del lletrat de l'Administració de justícia o en escriptura pública davant notari.

8. EFECTES DE L'EXTINCIÓ DE LA PARELLA PER MORT

8.1. Drets viduals familiars

L'art. 234-14 CCCat disposa que "En cas d'extinció de la parella estable per mort d'un dels convivents, el supervivent té, a més de la compensació per raó de treball que eventualment li correspongui d'acord amb l'art. 232-5.5, els drets viduals familiars que reconeixen els articles 231-30 i 231-31 ".

D'aquesta manera s'equiparen les parelles estables als matrimonis a aquests efectes i es reconeix al convivent supervivent el dret de predetracció o dret al parament de l'habitatge familiar (art. 231-30.1 CCCat); i el dret a l'any de viduïtat pel qual es concedeix al convivent que no fos usufructuari universal del patrimoni del premort, durant l'any següent a la mort, el dret a continuar usant l'habitatge familiar i a ser alimentat a càrrec d'aquest patrimoni, segons el nivell de vida que havien mantingut els cònjuges i amb la importància del patrimoni (art. 231-31 CCCat).

8.2. Drets successoris

Els drets successoris entre convivents es troben regulats al Llibre IV CCCat, relatiu a les successions, que equipara completament la convivència estable en parella i el matrimoni als efectes de la successió entre els convivents.